藝

際

間

「藝《げい》」「際《きわ》」「間《あわい》」を究める

〜JARFO三十年の歩み〜

石田　淨

Edition F

目次

はじめに

幾度となく立ち止まり、考え直しては、また歩み始める。そんな日々を繰り返してきた。初めは、京都初の芸術系NPO法人「特定非営利活動法人京都藝際交流協会JARFO」の活動の足跡を記録に残し、同じく非営利活動をされている関係者諸氏の参考にしていただこうという気持ちであった。JARFOは京都で最初期の、六番目に認可を受けた法人である。このことが自負心になっていたのかもしれない。

書き進めるにつれ「なぜ自分がこの歳まで関わっているのだろう」という問いが私を捉えて離さなくなっていった。答えを見つけるには、自分自身の生きてきた、否、生かされてきた過去と向き合い、公けにさらすことが必要だと考えた。

ある日のこと、政治学者・姜尚中の「人生の目標は（中略）人生の最後の一秒まで自分が生まれてきたことの意味を見つけ出すことではないか（……）」（朝日新聞二〇二三年一月四日付）という記事に出会った。歴史教師の末端に連なって生計を立ててきた者の一人として、個人の人生に深く絡む公的な、私的でない出来事を整理しておくことは、後続世代へ伝え遺すため、またなによりも自分自身の生に対する責務であると思う。姜尚中氏の言葉にその意を強くした。歴史というものを、なんでもない一市井の人々のあたりまえの生活の積み重ねと考える自分にとっては、個人の生活や思想、日々の体験の累積の中から最大公約数といえる事実の抽出・解析作業を軽視することはできない。客観性に乏しくなるからだ。

本書は、日記でも、エッセイでも、覚書きでもない。「歴史に生きようとした一市井人の独り言」である。手に取ってくださった諸氏には、まずは筆者の逡巡を酌んでくださり、筆者の生い立ちからＪＡＲＦＯ三十年の物語におつきあいいただければ幸甚である。

第一章

私とは何者か

一——出生

私は一九四二年（昭和一七年）、旧制高等女学校の教師であった父と幼稚園教諭の経歴をもつ母との間に、長男として生まれた。世代的には戦中生まれだが、戦争に関する記憶はほとんどないと言っていい。記憶らしきものといえば、母方の実家の庭に防空壕があったことと、そこに疎開していたある日、トイレにしゃがむや否や鳴り響いた空襲警報に慌てふためき、ずり落ちたパンツにつまずきながら飛び出したことだ。これらの記憶はいまだに鮮明に残っており、折にふれよみがえっては苦笑させられる。

いっぽう、父方の祖父母から幾度となく聞かされた、長崎での被爆体験の話は鬼気迫るものがあり、聴くうちにまるで自分も被爆者のような気持ちになったものだ。心ない差別や噂を恐れて、長崎県出身の家族であることは絶対口にするなと教えられた記憶が、いわば私の戦争体験といえるだろうか。

あの三・一一東日本大震災時における風評被害と同根の、いわれなき差別のあったことを今にして痛感する。

やがて成人して、のちにパートナーとなる女性と出会う。彼女は一九四四年（昭和一九年）生まれ、満州から引き揚げてきたある一家の次女であった。一家の父親は職業軍人で、終戦後も捕虜としてシベリア収容所生活を強いられたという。彼の娘たちは中国東北部の軍用官舎で生まれたが、長女は終戦時の過酷な引き揚げの途中、十分な栄養を与えることができず衰弱死してしまう。亡きがらは、北朝鮮と中国の国境附近に泣く泣く埋葬したそうだ。彼女は幼かったがこのように悲惨な体験を経て帰国したのである。

私自身は、彼女のような過酷な経験を直接してはいないが、祖父母然り、戦争体験の「語り部」たちと共に生きてきたことで、あたかも、物心ついた人生の出発時点から、歴史の中に生き、その出来事と深く絡まって生きてきたと感じる。

二──十代〜三十代　政治運動に憧れる

学生運動に没頭

アートとの最初のかかわりは、小学六年生の頃、父方の叔母の手ほどきで油画を始めたことだ。これをきっかけに、美術に関心をもった。この時は、終生アートと関わって生きることになるとは、もちろん微塵も思っていなかった。中学生になると美術部に所属し、活動に夢中になった。将来は絵描きになりたいと甘い夢を見ていたのもこの頃だ。

しかし、高校・大学時代には、美術に関する興味・関心を失ったわけではなかったが、高まりもしなかった。受験勉強一辺倒の高校時代を経て、浪人生活に突入したその秋、プロ野球日本シリーズをテレビ観戦中に飛び込んだ緊急ニュースは、私のその後の人生を大きく左右する。

それは、安保条約締結に反対する東京大学女子学生、樺美智子が抗議デモ中に亡くなったという特報ニュースであった。私の関心は一転して政治へと急速に傾斜していく。

当時、私の周りの友人たちが大なり小なり同じであったように、大学入学と同時に私は迷うことなく、専攻内の先輩の勧誘を受け「学生自治会」の委員になった。と言えば、政治意識の大変高い若者のように聞こえるが、実はそうでもない。当時、政治活動が盛んな問題意識の高い高校というのは確かに存在したが、私の高校は受験最優先で、生徒の政治的関心は皆無であった。そんな高校の出身であったから、私には所属党派もグループも団体もなにもない。当時の言葉でいえば、いわゆるノンセクトラジカルであった。この時期の体験が、今に至るもノンセクトを堅持している土壌となっているといっていいだろうし、また、何かの規律に制約されることを嫌う性向は、この青春時代に形成されたものかもしれない。

世界史こそ学ぶべき学問であると熱望して入学した立命館大学史学部。学科専攻には西洋史学科を選び、専攻科目にアメリカ史を選んだ。当時、アメリカ史学会の南北戦争史研究は、南部プランター商業資本主義の分析に基づく視点が主流であった。しかし私は、北部産業資本主義の経済分析から南北戦争を考察することを卒論テーマに選んだ。当時の日米関係問題が影響していたからであったことは否めない。といいつつも、その四年間は、広小路キャンパス地下の自治会ボックスに寝泊まりしながらデモと講義室へ出かけてのアジテーション、街頭演説、署名活動、等々、政治活動に明け暮れた毎日であった。

大学院へ進み、幸徳秋水と社会主義を研究

「青臭いロマンチスト」と指さされようとも、自分自身の生き方と社会的関心事を重ね合わせることが当たり前のことと考えるようになっていた。学部時代の四年間はその起点であった。本当に一瞬にして過ぎた。学部時代の政治運動は敗北の連続。そんな日常に疲れを覚えていたからなのか、あるいは学究生活へのあこがれからだったのか、大学院への進学は躊躇なく決めた。研究テーマは、南北戦争分析から一転、日本社会主義運動の生成・発展の歴史に関心を移

※1　IWW
Industrial Workers of the World　世界産業労働者同盟。1905年、アメリカ合衆国イリノイ州シカゴに創設。（以下、石田淨論文「直接行動論の源流」より）当時、アメリカにおいて強い組織力を持っていた、A・F・L（アメリカ労働総同盟）の①職業別組合主義、②階級協調の政策に反対して、一九〇五年六月西部鉱夫連盟のA・F・Lからの脱退グループを中心に結成された。①産業別組合主義、②資本主義　の打倒を目的とする革命的労働組合組織である。組織内分裂が絶えなかったのに加えて、一九一七年の第一次大戦へのアメリカの参戦決定に対し、A・F・Lが、参戦支持を決定したのとは逆に、参戦反対を唱え、反戦運動を展開した結果、国家権力による弾圧政策を集中的に受け、それ以降は急速に衰退し、単なる宣伝機関として今

した。学部時代四年間の過ごし方は学問的関心にも影響を与えたようだ。

研究テーマを変えるきっかけとなったのは、南北戦争・北部産業資本主義研究の過程で世界産業労働者組合（ＩＷＷ）[※1]の存在を知ったことであった。当時のアメリカ社会では、白人労働者優先加盟組織であったアメリカ労働総同盟（ＡＦＬ）[※2]が労働者組織の中心であった。黒人・黄色人種排斥の強い当時のアメリカ社会で、唯一、有色人種の加盟を認めていた全国組織がＩＷＷであったのだが、その活動拠点であるカリフォルニア州バークレーに幸徳秋水が滞在していたのだ。幸徳は明治後期の社会主義者として知られ、日露戦争に反対して「万朝報」社を退職し「平民新聞」を創設、日露戦争に対し非戦論を展開したことでも有名である。彼は一九〇五年十一月〜一九〇六年夏まで約十か月間、バークレーに滞在したのであった。[※3] 滞在中にカリフォルニア大地震に遭遇し、大混乱の現地の被災状況を無政府社会像と重ね合わせて見ていたようである。一九〇六年に帰国後は直接行動論を唱えるようになり、一九一〇年、「大逆事件」の冤罪で死刑に処せられる。これらは私が幸徳を研究する過程で知ったことである。

日もなお細々と存命している。しかし、盛時にI・W・Wが、指導、参加したストライキは、一五〇をくだらなかったといわれる。当時は、C・O・シャーマン↕セント・ジョン↕ヘイウッド↕トラウトマンの潮流により組織されていたが、一九〇六年、第二回大会では、ユージン・V・デブス等の社会主義者、西部鉱夫連盟が脱退、一九〇八年第四回大会では、デレオン派が脱退してデトロイトにI・W・Wを結成。結局I・W・Wは、①デレオン・トラウトマンを中心とするデトロイトI・W・Wと、②セント・ジョン、W・D・ヘイウッドを中心としたシカゴI・W・Wに分裂し以降、シカゴ、デトロイトを拠点にして活動を展開。

※2　ＡＦＬ
American Federation of Labor
アメリカ労働総同盟。１８８６年結成の、アメリカ合衆国の労働組合。直接的政治行動を避けて資本主義体制内の労働条件向上を原則とする。急速に発展後、AFL内にできた産業別組織委員会から発展したCIOと合併した。正式名称はAmerican Federationof Labor and Congress of Industrial Organizations。

※3 『幸徳秋水の日記と書簡』塩田庄兵衛編（未來社／1954年／増補1970年）

日本の社会主義運動は直接ロシアからもたらされたわけではなかった。第一次ロシア革命後、アメリカに亡命していたロシア人革命家たちとバークレー市で接点を持ったのが幸徳秋水らであった。これが遠因となり、社会主義思想は幸徳秋水らを通して日本に導入されたのだった。この歴史的事実を知ったことから私は研究テーマを、幸徳秋水・大杉栄らを中軸にした無政府主義思想の水脈を追うことに照準を合わせたのである。研究テーマを変更すると、はたからは突然の転向と見えるかもしれないが、実は根拠のあることである。歴史的出来事と自分の関心の方向が絡み合うのは因縁のあることなのだ。

ロシアへの関心

私の父方の祖父は唐津藩の人であり、貿易商を業として、ウラジオストックを拠点に商売をしていた藩御用商人であった。一九〇五年の第一次ロシア革命、一九一七年の第二次ロシア革命により、それまで蓄財していたロマノフ王朝時代の紙幣は単なる紙切れになってしまい、その後は破産、廃業の運命が待っていた。祖父の抄歴は、今も漢文で墓碑に刻まれ残されている。原爆投下に遭って親族は皆亡くなり、遺品すらない。もう祖父の生きた時代の詳細を知り、痕跡をたどることは困難である。

私のロシアへの関心は、このような系譜によるものだと考えることは決して的外れではなく、また誇大妄想とは言えないのではないか。社会主義社会への羨望だけでなく、そのような国家を歴史上最初に実現したのがロシアであった事実が、社会主義的な運動への接近を当然の道と思わせたのかも知れない。

私は、ソビエト・ボリシェヴィキ革命を肯定する立場から学生運動に積極的に関わっていった。アナーキズム対ボリシェヴィズムの政治路線の対立、いわゆるアナボル論争を知らなかったわけではない。運動への関わりを深めるうち、スターリニズム体制下における「一党独裁」や「党・官僚制」の問題に疑問をもち、思想としてのアナーキズムへの関心、考察に向かい始める。やがてその研究の視点が議会活動から直接行動へと転換していくのである。思えば自然な流れであった。かくして修士論文のテーマは「直接行動論の源流」[※4]となった。

この修士論文は大学には提出せず、商業誌に掲載して公開した。これは当時、

※4　石田淨『直接行動論の源流―幸徳秋水とI・W・W―』(「構造」経済構造社／1970年3月号)

※5　飛鳥井雅道『明治社会主義の帰結』（「思想」岩波書店／1968年第2号）

マルクス経済学派の立場から研究・啓蒙活動を行う学者たちに向かって「講壇マルクス主義者」のレッテルを貼りつけ批判をしていた学生の一人として、そうした教授たちの評価を受けることは自己矛盾であり、「論文提出拒否は正当な判断」という理屈に拠るものであった。「知行合一」的な生き方こそが知識人・文化人の言論・生活態度に求められるべきものである。とはいうものの今にして思えば、教条主義的な独善的判断だったのかもしれない。

当時の私は、戦後初のメーデーのプラカード「朕はたらふく食っている。汝、臣民みな死ね！」を「教授はたらふく食っている。汝、学生みな死ね！」と読み替えて、教授たちの日常生活の態度に怒りを感じていた。しかし、皮肉なことに、この幻の修士論文は、京都大学名誉教授で日本近代史の専門家、飛鳥井雅道氏により「思想」[※5]（岩波書店）に引用され、紹介されたのである。自分自身の生き方と、日常の生活態度は一致させるべきで、公的立場に立つ者であればあるほど厳しく問われなければならない。これは私の信条である。常に頭のどこかに潜んでいて、何かきっかけがあるたび顕れていたように思う。

私自身もどこかで、「陽明学的生き方」を、自己の人生を振り返る時の査定

※6 「東大紛争とは」元東大副学長 吉見俊哉（朝日新聞2023年4月24日付）

基準にしてきたように思う。これは、決して私の独断偏見ではなく、「戦後リベラル派知識人の言行不一致は欺瞞的である」[※6]という当時の文化人や知識人に対する批判に連なる者の共通の思いであったといえる。大学院時代の、「全共闘」運動に参加するという意志決定の根拠となったのも、主任教授による全的支配管理のもと、助教授・講師・助手・大学院生に至るまでタコつぼ的な研究室組織を温存する「講座制」への批判であった。リベラル・知識人・教育者に対する考え方についての自分自身への問いかけであったともいえる。

三 ― 教職に就き、大いに学ぶ

アルバイトに明け暮れた学生時代

修士論文を仕上げたところまで振り返ったが、少々思想信条的なことに終始したようだ。より生活臭の強い話をさせてもらえば、大学に入って以降、私は常にアルバイトに追われていた。決して裕福とは言えないどころか、「清貧をもって貴しとすべし」をモットーとする教師の家庭に育ったこともあってか、高等学校までは親の責任で通学させるから学費は出すが、大学以降は自分が責任をもってやれというのが父の考えであった。というわけで、ありとあらゆる職種のアルバイト経験をしたといっても過言ではない。

印象に強く残っている職種を並べると、パチンコ店の店員、ラブホテルのベッドメーキング、地下鉄工事の土掘り、深夜の国道舗装工事の交通整理などであろうか。当時、公安警察関係の取り締まりが厳しかったという事情もあり、左翼活動家や学生運動家、逮捕や留置経験者、また彼らと関わりのあった者は、深夜の業種に就くことが多かった。素顔を偽り、尾行を避けやすいことからも人目に触れる対面での職種を意識的に避けていた。ただ、私の場合は、常に定収入アルバイトとして家庭教師、小規模学習塾教師は欠かさなかった。

休学期間も含めて、大学院を終了するのに八年を要した。思い返せば計十二年間も大学と何らかの関わりを持っていたことに自分でも呆れるとともに、これこそ、いまだに引きずる私の「なりきれず人生」の始まりだったように思える。

私は、自分の生き方を振り返る時、自己韜晦気味に「きれずの人生」という言葉をよく使う。「亭主にもなりきれず」「親にもなりきれず」「教師にもなりきれず」「研究者にもなりきれず」「運動家にもなりきれず」……。どれも中途半端で、一つとして完結させることができなかった、という意味だ。

教育現場での五十年間

教育者として現場に携わった五十年間に、小学校、中学校、高等学校、大学と、学齢もさまざまな児童、生徒、学生と接し、教え、指導してきた。これは稀有な教師人生といえるのではないだろうか。そして常勤であれ非常勤であれ、教育現場で気づかされたのは、「人が好き」という自身の性向であった。意識し始めたのは、実はそれほど昔のことではない。五十代半ばの頃、古くからつきあいのあった作家で教師も兼職していた某人物に「あんたは、人間が好きなんや！」と言われたが、これが意識するきっかけだった。彼のこの言葉が、「人」

では足りない、「人間」になることが大切である、と私に確信させた。「人」と「人間」の違いについて考えて得たのは、人として生まれてきた後に、人と人の「間（あいだ）」で生活し、社会的存在として経験を重ね、初めて文字どおり「人間」になれるのだという結論であった。

いずれにせよこの性向は、教育現場に身を置く者にとって大切な必要条件の一つであると、五十年の教師生活を振り返って確信している。

自分の学童時代や学生時代を、懐かしさやちょっぴり甘酸っぱい思い出で振り返ることができないとしたら、問題は教師の側にある。これは私の現場経験から得た実感である。

私は教師の家庭に育ち、中学までは公立に通い、私立の高等学校に進学した。進学校では成績の優秀な生徒を中心に毎日の学校生活が回ってゆく。つまりそれは、好奇心旺盛が取り柄で一つのことに集中できない、落ち着きのない私のような生徒は劣等生とみなされ、担任の教師からは軽視ないしは対象外として扱われるということだ。言い方を換えれば「お客さん」なのであった。決して親身になってはもらえない、「冬の時代」であった。このような高校生活の経験が、その後、教師という職業に就いて年を経るにつれ、「人間が好き」「生徒を比較しない」「生徒を校則で縛らない」「生徒を常識で測らない」「生徒を急がせない」という理想教師像をつくり上げたことにつながった。

日本の教育現場で描いた理想の教師像は、その後に移ったアメリカ・オクラホマ州イーニドの大学やその日本校での経験の中で、確信に近い「教育信条」となった。

徹底した個の尊重に瞠目

アメリカの教授たちは、与えた課題に対して応えた学生に、何をさておき一番に褒める。学生の積極的な反応に対してまずは肯定し、他の学生との比較はしない。自律ある個人として認め、一人一人の評価基準に立って指導している。まさしく、一個の独立した人間として尊重し、そのこと自体を最も重視するものであった。

ここで学んだのは、個人の能力や才能に対する評価は、人間としての尊厳にまで立ち入って考究すべきである、という教育の原理だ。人格、人徳、人品。似た言葉だが、それぞれ漢字、熟語の成り立ちまで突きつめれば違いのあることがわかる。そのことを、身をもって学んだのもアメリカの大学現場であった。アメリカ民主主義の源流は、こうした教育の理念、実践にたどることができるのかも知れないと、のちのち感じたものだ。もちろん、個性を重視するあまり、個人優先、個人至上主義教育の弊害がまったくないわけでない。そのことは、今日のアメリカ合衆国を見れば明白な事実である。

「自由」というものが、「自らに由って立つこと」を意味するのであり、そのような自由は「自立」ではなく「自律」した人間に与えられるものであるとするなら、基準・規律は自分の心中に在るということである。「自律」するということは自己に対する厳しさと「自己自律基準」「権利主張と義務の履行」を基本とする実生活に根ざした「知性と教養」が不可欠であるということである。アメリカのみならず、日本のみならず、世界中の民主主義国家を標榜する国々にとって、今いちばん求められているものは「自立」ではなく「自律」ある個であり、そのための修練ではないかと思う。

バブル経済とメセナ

一九八〇年代、日本経済はバブル景気で未曾有の好景気時代を迎えていた。企業は、かつてないほどの高利潤を得る。高い収益には大きく課税される。その節税対策の一つが、スポーツ・文化・芸術支援活動であった。

その頃私は、高等学校から在日米国系大学へ職場を移していた。大学での担当講座の一つに芸術関係の科目を持っていた関係で、四国の製菓会社の企業メセナ事業に関わることになった。芸術と社会の関係を探索し、実践を試みる活動は私にとってもちろん初めての体験であった。還暦を目前に控え、未知の現場は、すべてが新鮮で目新しく映った。同時にこの国の文化・芸術政策の新しい時代の幕開けに立ち会っているようにも感じた。しかし、今思えば、夢を見ていたのと同じであった。私は資本主義経済についてその仕組みを知らなかった。ただ多少の学識があるというだけで、未熟なインテリのなす列に連なっていただけだ。当時も今に至るも、この国の文化芸術に対する経済的・思想的地盤はあまりに脆弱である。それを少しも顧みることなしに、フランスで始まったメセナ事業活動へ便乗したのだ。これは、企業メセナ活動に関わった私の実感であり、反省である。

第二章

人生を変えた「メセナ」

メセナとは

一九八八年秋、京都国際会議場でフランス文化省と朝日新聞社共催の日仏文化サミットが開催された。参加したのは日本企業の経営者たちである。各国が積極的に推進している芸術文化振興政策は、アメリカに代表される「民活型」とヨーロッパ諸国に見られる「国家主導型」に大別される。フランスは、国家主導型の文化政策を採っている。しかし、そのフランスに、企業による芸術活動の援助をする「アドミカル」[※7]という民間の団体組織が存在することが紹介された。これに強い関心をもち、同じような組織をつくろうと考えて、一九九〇年二月に結成されたのが「社団法人企業メセナ協議会」[※8]であった。スポンサーシップ、パトロネイジといった資本家目線からの英語でなく、当時は聞き慣れないフランス語の「メセナ」[※9]を採用したのは、「芸術文化を利用するのではなく、それに奉仕する」という芸術文化支援の新しい理念を盛り込んだことによる。日本の芸術文化政策は「あいまいな日本型」と言われるが、一九九三年に新設された「地方拠点都市法」[※10]の制定の影響もあり、全国地方自治体の文化関

※7　フランス商工業メセナ推進協議会（ＡＤＭＩＣＡＬ）。1979年創設。

※8　1988年の日仏文化サミットを機に広がる。1989年、大塚製薬のまんがヘルシー文庫シリーズが日本での企業メセナ第1号。1994年7月現在、正会員169社、準会員41団体が加盟登録していた。

※9　メセナ（mécénat／仏語）BC一世紀、古代ローマ帝国初代皇帝オクタヴィアヌス治世下、文化相であったガイウスマイケナスの名に由来する語。企業による芸

係予算の方が、文化庁の予算総額をはるかに上回る結果になっていることを見れば頷ける。

地方はこぞって美術館の建設に走った。国内の好景気は、各企業のスポーツ・文化分野への支援事業を活発化させた。とりわけスポーツに対する「冠大会」への取り組みはすさまじい勢いであった。

いっぽう、スポーツに比べれば派手さはなかったとはいえ、芸術への支援活動もそれまでとは比較にならないほど活況を呈した。

のちに「箱もの行政」と揶揄されることになる美術館建設ラッシュは、「ハード先行でソフトなし」の批判の中、芸術への関心の高まりは、限界はあったとしても、一歩進んだことは間違いないといえる。

こうした時、友人アーチストを介して、徳島のある製菓会社の社内ギャラリーの企画に携わることになった。その企業が新社屋建設に伴い、製造ラインの見学エリアにギャラリーを併設するという。なかなか面白い試みだとの印象をもち、企画運営への参加を承諾したのだった。

術活動の援助を意味する用語として使われることが多いが元来は国家による芸術援助を意味する用語として使われた。

他方、フィランソロピー(philanthropy／英語)は、ギリシャ語の「フィロ」(Philo／「愛する」)と「アントロポス」(Antropos／「人間」)の合成語であり、「人間愛」「人類を愛する」を意味する。

文化芸術支援の用語としての両者の厳密な違いは、前者が、国家・企業による文化芸術支援に使われるのに対して、後者は、弱者の救済、学術の振興、文化・芸術の支援など公益性の高い分野での寄付活動・ボランティア活動を総称する社会貢献活動を意味する。

※10　1992年6月5日公布。地方の自立的成長の推進および国土の均衡ある発展に資することを目的とする。

一 ― 徳島ハレルヤ製菓株式会社

創業者　岡　武男

その企業は徳島ハレルヤ製菓株式会社という。先に述べたように、実質的な「メセナ」との出会いは、四国の製菓会社の事業を介して訪れたのだった。ハレルヤ製菓という社名が示すように、創業者岡武男[※11]は神戸でキリスト者・賀川豊彦[※12]に出会い、大きな影響を受ける。製パン会社で奉公人として働いていた岡は、賀川の街頭伝道活動に共鳴し、行動を共にした。キリスト教の奉仕精神に基づく活動の機会を得て、おそらく、岡のその後の人生は大きく変わったのであろう。

艱難辛苦の奉公修業の歳月の末、起業に手応えを覚えた彼は、故郷徳島県松茂町に「徳島ハレルヤ製菓株式会社」（以下、ハレルヤ製菓）を設立する。製

※11　『関：わが通る路はありけり　岡武男自伝』（ハレルヤ製菓／1983年）

※12　賀川豊彦　特別収録「企業メセナの一形　―アートフォーラム三年間の歩み―」（91ページ）参照

パン工場で得た知識を活かして発案した商品は、次々とヒットした。なかでもチョコレート色に包まれた白あんの饅頭「金長《きんちょう》まんじゅう」は、戦後間もない当時としては大変珍しく、稀な高級菓子として迎えられた。その上、四国八十八ケ所巡礼の一番札所でもあった松茂町で岡が始めたのが、神戸時代に賀川豊彦から受けた教えもあってか、お遍路さんたちに饅頭の配布をするという布施奉仕業であった。メセナが国内で流行する以前に、博愛精神・人間愛に基づいた弱者救済、学術振興、文化芸術支援など、公益性の高い分野での寄付活動やボランテイア活動、すなわちフィランソロピー活動を、ハレルヤ製菓は始めていたのである。

全国に先駆けた文化芸術振興推進企業

たちまち「金長まんじゅう」をはじめとするヒット商品は、岡の社会福祉活動とともに評判を呼ぶこととなり、岡の経営手腕も冴え、ハレルヤ製菓は徳島でも指折りのトップ企業に成長したのである。

岡武男が稀有の企業人であったといえるのは、芸術文化を企業宣伝や利益優先のために利用しない、芸術文化の創造、普及に対する純粋な保護者、支援者、すなわちパトロネイジ（patoronage）活動を企業経営活動と並行して実施していたことであった。

その具体的事業の一つが、当時、社会問題化していた非行・暴力問題の低齢化に対する取り組み、「青少年文化育成会」の結成（一九八一年）であった。他方、一般市民を対象とするものでは、「ハレルヤ謝恩文化講演会」[※13]が一九六六年から始められた。この意図は「（……）島国四国では中央からやはり遠い存在であり有名な文化人とは隔絶された暮らしであった。（……）徳島には珍しい有名な講師先生をお招きして、講演会を開き文化の香りに接して頂くことがよろこんでいただけるのではないか？（……）自己を蓄えるだけでなく青年の日々に受けた教えの報恩と感謝を世の中にお返ししたい（……）」[※14]というものであった。

まさに、全国に先駆けた文化芸術振興企業といえる「徳島ハレルヤ製菓株式会社」。この企業との出会いはのちのち私の人生に大きな意味をもつこと

※13「時・空・流 ―文化講演会より―（1）1966～1967」「時・空・流 ―文化講演会より―（2）1968～1969」（編集発行・阿波之里アートフォーラム／制作・京都新聞社／1993年）

※14『市民文化と文化行政 ―シリーズ自治を創る―』（森啓編著／学陽書房／1988年）

になる。人が人として生きるということ、人と人との「間」で生き、苦悩、鍛錬を経た末に初めて「人間」に到達できるということ。それがどのような意味をもつのかという哲学的命題の啓示を受けたのである。この経験が京都での文化芸術活動の組織づくりにあたって、設立の趣旨を固めさせ、運営の精神を培ってゆくのに大きな影響を与えることになったのである。

二――任意団体ＪＡＲＦＯ結成

バブル経済の崩壊

日本に破格の好景気をもたらしたバブル経済だが、やがて翳りが出始める。その影響が真っ先に現れたのは、各企業の文化事業に対する予算面においてであった。

メセナの後退は、日本のみならず世界的現象となった。ハレルヤ製菓においても例外ではなかった。

「文化と健康の新空間」というキャッチフレーズのもとスタートしたハレルヤ製菓の文化芸術事業「阿波之里アートフォーラム」は順調に活動を続け、目標達成値を伸ばしていた。

主力事業が製菓であり、庶民に身近な菓子が主力の商品であったことが幸いしたのか、バブル経済破綻の影響は他の産業界と比べると緩やかであった。少なくとも私はそういう印象をもっていた。

つまり、それは、バブル経済の終焉という社会的危機をマスコミ情報で知りながら、直接的には危機感を覚えなかった私の不明であった。経済的な知識だけでなく、経営の経験も乏しい私は理屈を優先させがちな、頭でっかちな人間だったのであり、その能力の限界が露呈した恰好であった。

ハレルヤ製菓は一九九五年度の企画展をもってフィランソロピー活動・メセナ活動を中止すると決定し、アートフォーラム事務局に通告を行った。まさに青天の霹靂であった。

日本でフィランソロピー活動・メセナ活動を定着させる道のりの長さに茫然とした。国民の文化意識はまだまだ未熟なのだと、自己の非力を棚に上げ、いささか諦めに近い気持ちになったことを思いだす。

中止決定後は、アートフォーラム事務局長として事後処理に追われた。その時までハレルヤ製菓という企業の知名度、信用度、経済力の傘に守られ、もたれかかっていた足かけ四年の活動業績[※15]、実務の総括点検作業を行う中で、思い

※15　特別収録「企業メセナの一形態　―アートフォーラム三年間の歩み―」（75ページ）参照

もしていなかった問題が次々と顕在化する。なかでも、海外作家との出品契約が打ち切りになったことは、一つ誤れば契約不履行として国際訴訟問題に発展しかねないものであった。逆に言えば、このような事態に直面しかねないところに至る直前まで、アートの世界に没頭できたのは、ハレルヤ製菓という企業のおかげであった。作家・作家グループへの支援以上に、「阿波之里アートフォーラム」事務局自体がハレルヤ製菓に支えられて存続していたのであった。誤解を恐れずに言えば、いわゆる「旦那芸」がこの世界の常態だという先入観に毒されていたという自己反省を持つ。学術界を揶揄する際にしばしば「象牙の塔」と表現するが、これと同じく、アートについても特殊化して見ていた証左であった。

哲学者マルクス・ガブリエルの「アートは特別なものではない。（……）人類の起源はアートだ（……）」[※16]という言葉の意図を読み取れずにいたと深く反省したのも、この経験に拠るものであった。ここで救われたのは、人間社会にとって芸術の果たす役割の重要性を認識している真の創造者としての作家諸氏や、芸術愛好者たちとの、人間対人間として築いた信頼関係の存在であった。

※16　『アートの力　美的実在論』（マルクス・ガブリエル著／大池惣太郎、柿並良佑訳／堀之内出版／2023年）

※17　アソシエイト（associate／英語）仲間、同僚、共同経営者。自由かつ平等な社会を実現するための自発的な結社、組織。

「阿波之里アートフォーラム」で学んだことは星の数ほどあるが、一番の教訓は、人の心と心の結びつきと、「念《おも》い」を同じくする者同士の結びつきの大切さであったといえる。

実社会におけるあらゆる矛盾を解決する方法は、政治・経済のシステム変革以外にはありえないというそれまでの私の思考に根源的な変化をもたらすものであった。社会を構成する基本である人の心のあり方が変わらない以上は、そのような人たちが支える現行の社会、国家が変わるはずはない。当たり前のことだが、ようやく気づいたのだった。

したがって私の五十代までの日々は、人の心の根底からの変革こそがあらゆる国際的諸問題の解決の入り口であるということを知ることになる長い旅路であったといえる。

徳島から戻り、大学教員職に専念する日々が続く。しかし、時間が経つにつれ、アートというより、フォーラム・アソシエイト[※17]活動に対する関心が日毎に募っていくのを抑えきれなくなる。それでも仕事はせねばならない。私は、ただ茫然自失というしかない毎日を過ごしていたのであった。

当時の京都は、伝統的な京町家の住まい手の世代交代の波が押し寄せていた。相続税対策という名目のもと、古い家屋と土地が次々と売りに出され、伝統的木造家屋は瞬く間に取り壊され、空いた土地にはその大小にかかわらず高層マンションが建てられた。町並みの喪失が景観問題として取り沙汰され始めた時期であった。

その頃、伝統的木造家屋の中で講演会、展覧会等アートイベントを行う企画事業による京町家保存運動を始めていた友人の誘いで、国際文化芸術交流京町家実行委員会（湯川スミ委員長）の事務局長に就任した。京都の伝統的町家が次々とマンションに姿を変えていく。当時の日本の経済成長力の勢いは目を見張らんばかりであったが、これでよいのか。京町家保存運動に関わることになったのも、今思うと、芸術に携わるようになった自分の生き方としては自然な流れであったといえる。

フィリップス大学日本校

日本は戦後、経済大国となったが、その凄まじいほどの経済成長は、諸外国には「利益追求一辺倒」と映り、「エコノミックアニマル」などという蔑称を戴くほどであった。こうした国際情勢の中で、矛先をかわす意図もあったのか、当時の中曽根内閣が打ち出したのが外国大学の日本校誘致政策であった。

この政策により誘致された大学の一つがフィリップス大学である。一九〇六年、オクラホマ州イーニドに創立された伝統ある大学である。そのフィリップス大学の日本校が開校し、私はそこの大学教員に採用されたのである。

初年度前期の担当科目は、西洋史概説、アメリカ史概説であったが、後期には、西洋美術史と芸術鑑賞論という講座も担当することになった。

徳島で活動した経験は地域社会における芸術文化振興活動に特化したものであった。これは、作品の鑑賞という面よりも、愛好家・好事家をはじめとする「人」と「人の集まり」に焦点を絞った活動であった。そうした経験をもつ者としては、鑑賞方法に「論」があるという前提で講義を行うこと自体が自分の思考革新であった。この講座を担当したことが、本格的に芸術への専門的研究に入っていく契機になったといえる。その後の「運動としてのアート」というJARFOの組織理念に大きな影響を与えることとなったからである。

芸術作品の鑑賞は、各人各様の見方、感じ方が最優先される。それが美術の授業で叩き込まれたことであったはずだが、アメリカのアカデミズムは鑑賞の原理を説くのである。「鑑賞に論理があるのか！」とこれも青天の霹靂であった。

私は大学でこうした鑑賞理論を自身も研究しながら学生に講義を行い、他方、学外では芸術文化交流活動に勤しんだ。学生たち、芸術家たち、愛好家たち、専門機関や行政と関わりながら、「なぜ今アートなのか」を自問し続けた。

JARFOとしての活動は、構想と実行、虚構と実際という両輪を転がす日々であった。活動が活発になればなるほど、非営利の任意団体としての弱点を頻繁に思い知ることになる。「群がる」ことから、「集まる」集団への脱皮は、必然的な流れであった。

三――ＮＰＯ法人　京都藝際交流協会ＪＡＲＦＯの設立

任意団体からＮＰＯ法人へ

任意のグループとしてフォーラム活動を行ってきた経験から学んだのは、個人の組織と法人の組織との天と地ほどの違いであった。もともと営利目的ではなかったため、個人事業主ですらない。法人格を有しない活動はいろいろな面で社会的不自由を経験することになった。

不自由と感じたことは多々ある。行政が主幹する文化芸術事業への参入資格の制限を感じさせられたり、助成金の申請条件がたいへん厳しい、等々。何もかも敷居が高く、非営利の個人的な組織にとってとりわけ資金調達の問題は大きくのしかかった。私たちは議論を重ね、当時、制度が開始されて間もなかった特定非営利活動法人（ＮＰＯ法人）を設立しようという結論に至った。「阿波之里アートフォーラム」以来、アート関連企画事業に関心をもち、いろいろな面で協力を惜しまず集まっていたＪＡＲＦＯ（Ｊａｐａｎ Ａｒｔ Ｆｏｒｕｍの略称）の有志一同の意見が一致したのである。ＮＰＯ法人制度は、資金力も資本金もない我々のような「熱い念《おも》い」だけで集まった組織には好都合の制度であった。

意図したわけではないが、これも何かの縁だろうか。太平洋戦争終結五十五周年記念日にあたる二〇〇〇年八月一五日。文化・芸術活動を通して日常にさりげなくアートが存在しているような自由かつ平和な社会すなわちアソシエイトの実現を設立趣旨の一つとして、特定非営利活動法人京都藝際交流協会ＪＡＲＦＯは発足したのである。任意団体から法人団体への再編成スタートであった。

名称にある「藝際《げいさい》」という概念は、藝術界に見られる境界のことである。境界とは差別、あるいは区別の基準となる用語だが、あらゆるジャンルの作品を公開展示するのがＪＡＲＦＯの趣旨である。活動を通じて、目に見えぬ境界──すなわち「際《きわ》」──を検証することが設立の意図であった。

その後、このＪＡＲＦＯ設立の理念は、「私たちとは何者か」という私自身の素朴な疑問に解答を得る道筋への扉ともなるのである。

第三章

「藝《げい》」「際《きわ》」「間《あわい》」を究める

評価の基準とは

芸術作品の評価の基準とは何なのか。これこそ、私の心に引っかかったまま解決されずにいた疑問である。この疑問はもはや軽視できないほど、人生の課題といっていいほど大きくなっていた。

「評価の高い作品、高くない作品の違いとは」「誰が」「何のため」「どんな基準で」「何に基づいて」他人の表現作品のランクづけをしているのか。

「純粋美術と応用美術の区別」「作家と職人の違い」等々、何をもって区別、違いとするのか。あるいは、差別が堂々とまかり通っているのではないか。そうした素朴な「際《きわ》」についての疑問であった。

そして、何よりも、そのような難解な問いを抱えたまま、芸術文化に関わっていることの、なんともいえない居心地の悪さが、このままではいけないという問題意識となり、時々に心の中で現れては消え、消えては現れ、ということを繰り返していた。

この問題意識がやがてはっきりと輪郭をもった知識欲、学習意欲となる。

「アート」とはいったい何なのか。「アートは人間に必要不可欠なものなのか？」はたまた「私にとって全生涯を賭けて取り組む意味のある業（なりわい）なのか？」――こうした問いに答えを出すべきであると考えるようになったのだ。

芸術、美術という言葉がこの国でいつ頃から日常語として定着したのか、というところから調べ始めよう。というわけで、芸術史の基礎研究を始めることにしたのである。

「Art」の語源を調べることから始め、訳語としての「藝術」という語が国内での使用にどのような変遷があったのかを学習する中で、思いがけなく多くの知識を得た。漢文学者で漢字研究の大家、白川静の「字典三部作」である『字統』『字通』『字訓』を頼りに、つぶさに探究を行った成果といえる。特定非営利活動法人・京都藝際交流協会ＪＡＲＦＯの特色であり、理論的バックボーンである「藝《げい》」「際《きわ》」「間《あわい》」の三語について確かな知識を得て、その後の活動に弾みをつけた。

研究活動のために、ギャラリースペースとは別に東山三条ふれあいセンター内にスペースを借り、「藝《げい》」「際《きわ》」「間《あわい》」の概念理論化に集中する時間と場所を確保した。研究メンバーはイタリア人スタッフ、イギリス人研究生、そして私の三人であったが、このメンバー構成が偏らない国際的な視点から研究の成果を得ることにつながったのではないかと思う。西大路高辻時代がＪＡＲＦＯの基礎期とするなら、三条東大路時代は、ＮＰＯ法人組織としての理論構築活動期といえる。

この頃が、特定非営利活動法人・京都藝際交流協会の理論研究の活動と、ＪＡＲＦＯのギャラリー活動が、構想と実行の両輪となって駆動した、最も躍動的な時期であったように思い出される。何ごとにおいても同じかもしれないが、昨日までとは異なる新しい何かが立ち上がろうとしている時や、今まさに新しい一歩を踏み出そうとしている時には、すべてが生き生きと躍動していて、毎日が新鮮な空気に満ちているように思えるのであった。

これを書いている現在とは、また一味違った空気の日々であった。

一―日本における「鑑賞」と「評価」

美術教育の在りかたに疑問符

すでに書いたように、私の前職は学校教員である。日米両国で小学校から大学までの教育現場を渡り歩くという、おそらく数少ない経験をした教師である。この教員歴において最も大きな経験だったといえるのが、アメリカの大学の芸術教育と日本の芸術系大学における教育理念や教育方法の違いを知ったことであった。私のものの見方や考え方、生き方までをも根本的に変えたと言っても過言ではない。まさに目から鱗、の連続であった。「もの」としての作品のみならず不可視の「こと」を見る、感応力の大切さや情操教育の重要性を、身にしみて感じたのである。

作品を鑑賞するということは、作品はもちろんのことその作品に裏打ちされている作家その人の人生をも、鑑賞し考察するという総合的行為の意味合いが込められているということを学んだ。この体験によって、日本の芸術系大学における技術論中心の教育方針というものに疑問を感じたことが、鑑賞論を本格的に学習する起点となった。

当初、鑑賞に「論」があるなど夢にも思わなかった。誰もが同じはずだが、学校では「百人の鑑賞者が居れば、百通りの見方、感じ方がある」と習ったのではないだろうか。しかし、たしかに考えてみれば、私が実際に日本の芸術系大学の現場で見聞したのは伝統的な技術論、既成の表現法、「もの」としての作品鑑賞論等々、専門教育過程を経て初めて得られるような専門用語習得を目的とした知識偏重教育のオンパレードであった。

「美を楽しむ」という観点からはほど遠い、専門教育という名の地平からの捉え方であった。美学、美術教育は、日本の四年制総合大学では文学部哲学科美学専攻において取り扱われているのが一般的である。理論は四年制総合大学で、技術は芸術系専門大学で、というのだろうか？　明治一三年（一八八〇年）に京都府画学校、明治二〇年（一八八七年）には東京美術学校が開校し、この国の美術教育は体系づけられ発展するのだが、その過程で、理論と技術が分科し

※18　小山・岡倉論争　1882年「東洋學藝雑誌」（第八～一〇）に小山正太郎が「書は美術あらず」を連載。それを受けて岡倉天心が「『書は美術ならず』の論を読む」を「東洋學藝雑誌」（第一一・一二・一五）に連載。

たのか。書芸術が、一八八二年の小山正太郎、岡倉天心の「書は美術ならず」論争[18]により、芸術系大学の学部・専攻としてではなく、教育大学、総合大学の文学部に併設されたままという現実などは恰好の例である。こうした実態は一考を要するどころではないと思われるがいかがであろうか。

一九九〇年代後半はまた、「アール・ブリュット」という語が日本で広く認知されるようになった時期であった。フランス人画家[19]ジャン・デュビュッフェが、一九四〇年代に提唱した語であるが、時を経て支持されて広がり、日本でもようやく市民権を得たのであった。「アール・ブリュット」はそもそも、正統な、あるいは正規の芸術教育を受けていない人による芸術表現という意味であり、ゆえに英語圏ではアウトサイダー・アートと訳され呼称されるが、日本ではとりわけハンディキャップのある人たちによる表現、アート活動と捉えられてマスコミで取り上げられて広まった。足並みを揃えるように、大脳生理学者たちの研究成果が相次いで出版されていた。たとえば『脳[20]は美をどう感じるか』（川畑秀明著）などが代表的であろうか。余波は一般人の「癒し」にも及び、アートセラピーに関する研[21]究啓蒙書も、書店の「アート棚」を占めるようになっ

※19　ジャン・デュビュッフェ　Jean Dubuffet（1901〜1985）フランスの画家。西洋美術の伝統的価値観を否定し「Art brut（アール・ブリュット）＝生（なま）の芸術」を提唱したことで知られる。フランスとスイスの精神病院を訪ね歩き、作品を蒐集した。それらは独学で生み出され、精神の深淵の衝動がむき出しに表出されているとする。つまり「アール・ブリュット」とは芸術、伝統、流行や教育などに左右されず自身の内側から湧き上がってくる衝動に従って、自分のために表現する芸術を指す。

※20　『脳は美をどう感じるか―アートの脳科学―』（川畑秀明著／ちくま新書／2012年）

※21　たとえば『アートセラピー再考―芸術学と臨床の現場から』（川田都樹子・西欣也編／平凡社／2013年）など。

ていた。

こうした科学と芸術の関係を論じた研究書の出版などが盛んになった時勢もあってか、我々がその研究成果に基づいて使い始めた「際《きわ》」「間《あわい》」という鑑賞哲学に関する用語が巷でも、違った意味ではあるが、活字になったり人々の口に上ったりしている場面に出会うことが増えた。まだまだこれらの語が市民権を得たとはいえないが、芸術用語としてのみならず、人生哲学用語として認知され始めた予兆を感じたことは確かである。

二――「藝際《げいさい》」に込めたもの

「藝《げい》」と「芸《うん》」

私たち京都藝際交流協会ＪＡＲＦＯは活動組織名に「藝」の字を用いている。

「藝」は旧字体と認識されてきた（いる）。現在は常用漢字の「芸」を用いるのが一般的だ。白川静字典三部作からの受け売りだが、「芸」は耕耘《こううん》、除草、抜き取る、取り払うの意味をもち、旧字体といわれている「藝」は若木を植える、育てるを意味し、神事的、政治的意味をもつ行為を指した。極端だが要らないものを排除する「芸」、植え育てる「藝」といえるのである。本草、雑草にかかわらず、命あるものすべて育まれ生かされるべきと考える私としては、どちらを選ぶべきかは迷いなく、明白であったのだ。

「際《きわ》」

アート界には一般的に「ムラ社会」的土壌が澱のように沈殿している。そのように考える私たち京都藝際交流協会ＪＡＲＦＯは、この世界に顕在しているあらゆる形態の区別・差別・選別の基準について、まず研究を始めた。すなわち、自己と他者を分け隔てる基準とはいったい何か。素朴な疑問である。素朴だが、答え探しは簡単ではない。二項対立を意味する日常的な言葉には「結界」

「接線」「境界」「異質・同質」「同類・異類」などがある。

しかし、美術界に見られる「分け隔て」の理由にはいずれも満足できるほど充分な説明は無かった。そんな中、「学際」「国際」という言葉の存在を再認識する機会があり、それがきっかけとなって「際（さい）」についての考察を始めることになった。

「学際」「国際」の「際（さい）」はいずれも「あいだ」を意味する用語として使われている。したがって、英語ではinter（あいだ）を用いる。「学際」は《inter-disciplinary》、「国際」は《inter-national》のように。

これを踏まえて、当初団体名を考える時に、工芸、美術、純粋美術、応用美術といった分野の区別が大きな問題もなく慣例化している状況に抗して「藝際（げいさい）」という造語を用いたのである。そして当初《inter-art》を英語訳とした。しかし、その後の研究によって、「際（きわ）」は「あいだ」ではなく「重なり」を意味すると考えるほうが自然ではないかということが鮮明になってくる。ちなみに、今では《overlap》が正しい訳語に近いのではないかと考えている。

白川字典によれば、「際」の漢字成り立ちは、偏の「阝（こざと）」と旁の「祭

（まつり）」の合成であり、意味するところは、「阝」は梯子の象形文字であり、「祭」は肉と酒とを「示（机）」に盛りつけた象形文字である。だとするなら、「神様、神様！　祭祀の準備が整いました。地上から天上に架けた梯子を降りてきてください」と言ったかどうかは別にして、「阝」とそこに設えた「祭」という「天と地の交錯する場所」が「際《きわ》」なのである。だとするなら人間が人為的に一線で区切ることができるほど明快なものではなく、神のみが為しうる、重なり合う神と神以外の区域を識別する語であるのだ。外来語の「グラデーション」や「グレーゾーン」がぴったりくるかもしれない。

したがって、「際」の概念は、律令国家体制を維持するため人民統治目的で、時の権力者が人為的に造り出した区別・差別の基準とするような「結界」「境界」等の概念とは異質のものだったのではないかというのが私の結論である。

かくして、芸術におけるあらゆる分野、概念の重なりを意味するところを採る活動グループ名として「藝際《げいさい》」の語を採用したのであった。

余談になるが、この「藝際」を「藝祭」「芸祭」と誤記する方が大変多いことを見ても、「国際」は知られていても「藝際」は言わずもがな、「学際」「民際」

すらまだまだ一般になじみの薄い言葉であることは明らかだ。我々の取り組みがまだまだ浸透していないことの証左である。

ともあれ、藝術界において感じていた区別・差別の事象についての研究途上で出会った「際《きわ》」の概念が、現実社会のあらゆるところで潜在的影響力をもっていることを確信したのである。

これまでの自分の人生において底流を流れ続けていた社会的差別・区別への疑問は、解決しておかなくてはならない。藝術・美術の世界にも差別・区別は厳然とあり、かつて解体をめざした大学の講座制にも似た、ヒエラルキー体制の実態を知ったことが「際」研究に向かった動機であった。

思考や行動、はたまた生き方において、誰からも疎外されることのない自由人・創作人たちの集まり、集団社会であるはずのアート・アソシエイトにまで、権力者が君臨するヒエラルキー体制が強い影響力を維持している。それを背景に、アカデミズムの権威・権力者による作品評価の決定権独占や、高名な美術評論家の評論、さらにはマスコミの文化・美術担当記者による批評評価が作品の人気や知名度を支配している。そうした実情が明らかになるたび、目から鱗が次々と何枚も落ちる思いであった。

藝術・美術鑑賞に限らず、現実の社会生活において、人間関係を成立させている最も基本的で大切な資質の一つであるヒト・モノ・コトにおける関係性判断力といえる「鑑賞」が孕む真実とは何か。この問いこそが何より重要なのだ。作品評価の基準はどこにあるのか、鑑賞と評価の違いとは何か、評論と批評の違いは、といったことを考えながら、これこそ最重要の問いだと、たどり着いたのである。百人の鑑賞者がいれば百通りの見方、感じ方があって当然である、という一般的な言説と美術界での格差。どこでどうなってねじれ現象を起こしてしまったのだろうか。

これらの素朴な疑問からJARFOが考える鑑賞論へのキーワードともいえる「際《きわ》」「間《あわい》」の概念は生まれた。これらの概念は、単に藝術・美術の鑑賞法だけでなく、自分にとってのあらゆる対象、すなわち客体物の観察について、客観的基準の納得できる説明が可能になったと思える発見でもあった。

「際《きわ》」についてはすでに触れたように、人間が人為的に創出した、区別・差別・結界・境界を意味する言葉ではなく、語源からいえば、天上と地上の重層領域を意味する言葉であった。したがって、美術界でいわれる、純粋美術と応用美術、美術と工芸、作家と職人、直接表現者と間接表現者、等々の、社会的階級や階層までを規定するような、分け隔てるための基準用語では決してなく、むしろこの重なり合う地図、すなわち地と図の重なりの中にこそ藝術や美術が社会に果たす役割の意義があるのではないか——というのが「運動としてのアート」を標榜するＪＡＲＦＯの到達した地平であった。

「際《きわ》」の原義である重層つまりは「重なり」を、作品だけではなく、ヒト・モノ・コトの鑑賞の場面にあてはめた時、具体的にどのようなことになるのか。

そこで、発見したのが、「間《あわい》」という言葉に象徴される概念であった。

三――「間《あわい》」とは

「あわい」は「あいだ」でも「ま」でも「かん」でもない

「間（あわい）」は「あいだ」でも「ま」でも「かん」でもない。これまで使われてきた、そして今後も使われ続ける「間」という漢字の読み方である「あいだ」「ま」「かん」は、いずれも距離感を表す遠近の概念であり、可視化される時間、および空間概念の範疇で理解されるものである。したがって、藝術、人物、事象、等々、従来のあらゆる「モノとコト」の判断・鑑賞は、可視化、言語化が可能な範囲内、つまり距離感あるいは遠近概念が基準となって行われてきていたといえる。すなわち、視覚のみによる鑑賞、観察であった。

表現者・創作者の立場からすると、創作を思い立つ基になったものといえば、自分を取り巻く森羅万象からのあらゆる刺激と影響のメッセージを、五感を通して感受し、それを自己の人生の体験・経験・知験・識見、等々のフイルターにかけ、そして表現されたものを作品と言ってきたのではないだろうか。「作物」しか作れない作家と、「作品」を創る作家の違いもここにある。

いずれであれ、これまで見てきたように、視覚のみからの鑑賞に限界を感じるのは当然のことといえるだろう。

視覚に聴覚・触覚・味覚・嗅覚からの鑑賞が加えられてこそ、作品世界のより重層的な鑑賞が可能になるといえないであろうか。

藝術というものが、二つのものを、分ける・引き離すための尺度として機能させられるものではなく、重なりあう、補いあう、補強しあう、励ましあう役割をもつことを認めるなら、なおさら、鑑賞についての「論」は不可欠である。藝術の世界だけではなく、人間社会における基本的な思考、判断の基準にも関わる、最も重要なことであるといえるのではないか。

五感の十全に展開できる充足した社会の実現に、藝術の力は不可欠である。健常者中心の社会規範はいまや過去のものであるとの認識は、社会的共通認識になっている。

こうした社会状況の中で、五感から視た鑑賞とはいかなるものをいうのだろ

※22「アール・ブリュット・コレクション」は実際には美術館として機能しているが、従来の西洋美術における価値観を否定したジャン・デュビュッフェは《musée》（ミュゼ＝美術館）の語を嫌い、施設の名称に用いることをしなかった。

うか。このような問いを抱き始めた頃に出会ったのが、前述した「アール・ブリュット」であった。報道番組で、一九七六年スイス・ローザンヌに開設された美術館[※22]「アール・ブリュット・コレクション」の存在を知り、大きな衝撃を受けた。この施設で二〇〇八年には特別展「日本のアール・ブリュット」が開催され、日本における障害のある表現者たちの活動が一気に脚光を浴びる。関連書籍が次々と出版され、多くの書評により各マスコミの読書欄が賑わった。そこから大脳生理学者や医学者の著作が新書・文庫などの手軽なボリュームで書店の店頭を飾るようになった。

「脳は美をどう感じるか」というのは誰しも関心をもつテーマであろう。つまり、それは、誰がこの社会で作品のよしあし、優劣の順位を決めているのか、さらに誤解を恐れずに言えば、芸術系大学の教授陣はどのような判断基準で学生の作品評価をしているのか、教育現場での指導目標・到達点はどこに置かれているのか、果たしてその裁定に信憑性はあるのか、その判定は担当教授にとってのみの有意性ではないのか、という問いにまで発展する。

ここまで言うと石田は芸術系大学不要論者なのかと言われかねないが、私は、芸術系大学必要論者どころか、絶対不可欠論者であることを自認している。

さて、前置きが長くなったが、それでは「間《あわい》」鑑賞論の立場から、作品を鑑賞をするということはどのようなことなのか。

先述した科学的研究成果等をも参考に考えたのは、「間《あわい》」とは、狭義には、目には見えない「気」との交流が可能な無限の精神的時空間を意味し、広義には森羅万象に宿る生命体や非生命体と対峙した時に、鑑賞者と対象物との間に流れる情緒的エネルギー（気の流れ）が感じられる空間を意味するのである。鑑賞者の精神状態は、アーチストの人生経験が凝縮された作品を通して表出される「気」の影響をうける。

したがって「間《あわい》」の時空間概念は、認識力より、感受性に由来するものであり、文明や技術進歩の流れとは一線を画した、情操豊かな日本文化と深い関係性を有する概念であると考えている。

具体的には、「（……）人は作品から発せられる入力刺激を受けた時、活動電位が発生し、脳神経の伝達細胞シナプスが他の細胞に情報を伝達するという働きをする。この働きが機能し始めることで作品と鑑賞者との間に流動電位が還[※23]

※23 『なぜ脳はアートがわかるのか ―現代美術史から学ぶ脳科学入門―』（エリック・R・カンデル著／高橋洋訳／青土社／2019年）

流するといわれる（……）」のである。

作品とこの鑑賞者との間のこの不可視の流動電位すなわち「気（き）」の流れとでも呼ぶほかない、目には見えない空気が還流している距離と空間を、私は「間（あわい）」と命名したのである。

このような「間《あわい》」の中で、作品と鑑賞者の対話が成立することを鑑賞・観察と呼び、両者の流動電位の還流の起因になるものを作品が発するメッセージと呼んでいる。作品が発するメッセージの中にこそ、作家の過ぎてきた人生が凝縮されているといえる。

作品の価値は、個々人の基準により千差万別である。いかなる高名な学者や有名な評論家や、はたまたマスコミが高評価を与えた作品であっても、ある鑑賞者にとって流動電位の還流、すなわち「間（あわい）」が感じられない品性あるいはメッセージ性のない作品は、「作物」といえても、「作品」というには不十分であると断じてよいのではないか。これがＪＡＲＦＯの「間《あわい》」鑑賞論である。

藝術世界のみならず、社会・政治世界においても価値・規律の基準は、自分自身の「自由な価値基準」とは実際には大きくかけ離れていると言わざるを得ない。これは私一人の偏見ではないと思うが、いかがであろうか。「自らに由って判断する」という意味の「自由」。この国ではまだまだ乏しいと言うほかない。常に思考を放棄し、権威・権力・体制による判断、決定に自分の言動を委ねている。これが我々の姿ではないだろうか。

いかなる「モノ」であれ「コト」であれ、対象から受ける不可視の流動電位、すなわち私が言う「気（き）」に反応し「間（あわい）」を感知する情操の豊かさ、それを鍛錬することこそが今一番求められている重要事項であると断言する。

では、この藝術のみならず社会生活において、私が人間として基本的に欠くことのできない感性の一つと考える不可視の「気（き）」とは、いったいいかなるものなのか。

「気」とは何か　あるのか、ないのか

なんとなく感じられるが見えないもの。なくなった時に初めてその存在を認

識するようなもの。

それらの多くは、「空気」のように、形・象として外部に顕れることがない。このような「形」をもたない「気」が形をとって現れることを「気象」と言う。内部にある精気が外に発する様子と言ってもいいだろう。

すなわち、風・温・冷は、感じることはできるが、目には見えない不可視のものである。

東洋において、森羅万象のすべてに霊魂が宿るといわれることにも窺われるように、自然は、単なる対照的世界ではなく人の生活と一体化して考えられていた。正しく天と地と人は同一の世界にあるとする世界観であった。その天地の間を形成しているものこそ「気」である。

西洋近代合理主義の立場からは非科学的・非合理的思惟と断じられかねない「有ってなお在る」「無くてなお在る」「有在・無在」の思考様式を、東洋の我々は築き上げてきた。その精神的支柱の一つが「気」ではないかと思う。

アートの世界に転じていえば、中国山水画の作家たちの多くはこの「気」を描き表すことを目指していたと言っても過言ではない。その表現方法の一つとして中国の画家たちが発見したのが平遠・深遠・高遠の技法で遠近空間を表現する東洋三遠法であったのだろう。

考えてみると、私たちの日常会話に「気にする」「気になる」「気がする」「気配がする」等々、「気」にまつわる用語が実に多くあることに改めて「気がつく」のには驚きである。

白川字典によれば、「氣」の初文は「气」で、空に雲気のただよう形である。その雲気を見て占卜《せんぼく》し、また神に祈ったとされる。「気」の字の意味するところは、「気息」を発することであるという。

東洋人は、その民族性に共通する意識として、また、心理学的共通点として、「気分や気持ちの満足度」を精神的価値判断の基準として重視してきた。「気」の認識論に基づく「有在・無在」の文化哲学はその、継承されゆく未来への遺産のひとつであるといえる。今世界は、とりわけ文明優先主義ゆえに混迷している西洋世界は、「気」に注目し始めていると、私は感じている。

ＪＡＲＦＯ三十年の歩み

１９９２年　阿波之里アートフォーラム　発足

１９９５年　阿波之里アートフォーラム　契約終了

１９９７年　ＪＡＰＡＮ ＡＲＴ ＦＯＲＵＭ（略称／ＪＡＲＦＯ）結成

１９９９年　Ａｒｔ Ｆｏｒｕｍ ＪＡＲＦＯ　開設

２０００年　ＮＰＯ法人京都藝際交流協会（通称／ＪＡＲＦＯ）設立

２００５年　東山三条へ移転
京都府京都文化博物館別館、展示運営スタート（現在に至る）

２００６年　石田淨理事長、京都市芸術功労賞受賞

２０１１年　認定ＮＰＯ法人として認定（２０１６年11月30日まで）

２０１６年　河原町今出川へ移転
石田淨理事長、ロストック市名誉市民認定
法人本部、東山から移転登記

２０１６年９月10日　ＪＡＲＦＯ京都画廊（河原町今出川）グランドオープン

２０１６年９月16日　Ａｒｔ Ｆｏｒｕｍ ＪＡＲＦＯ（古川町商店街）オープン

２０１７年　石田淨理事長、ドイツ大統領ヨアヒム・ガウク来日政府主催晩餐会招待出席

２０１７年７月22日　ＪＡＲＦＯ Ａｒｔ ＳＱＵＡＲＥ（古川町商店街）グランドオープン

２０１８年12月７日　ＪＡＲＦＯ京都画廊移転（西大路太子道）
京都王《ワン》藝際美術館委託管理運営業務スタート

２０２３年６月30日　京都王《ワン》藝際美術館、管理運営業務契約終了
法人本部事務所を古川町に移転登記

特別収録

企業メセナの一形態

―アートフォーラム三年間の歩み―

石田　淨　著

目次

A ― 概論　メセナ

(1) メセナ（Mécénat）とフィランソロピー（Philanthropy）

「メセナ」（Mécénat／仏）とは、紀元前1世紀、古代ローマ帝国、初代皇帝オクタヴィアヌスの治世下、文化相であり芸術家を紹介する役割を務めたガイウス、マエケナスの名前に由来するフランス語である。オクタヴィアヌスの信頼厚く、ローマの統治を一時期、任されるほどであった。二人は積極的に文芸を保護したことでも知られるが、既存の大詩人を安易に保護したわけではなく、才能のある人物を見極め創作のための優れた環境を提供したことでも特筆に値する。よく知られるローマの大詩人、ホラチウスや、ローマを礼讃する叙事詩「アエネイス」を書いた、ヴェルギリウスらも庇護を受けた中の一人であった。今日では、企業による芸術活動の援助を意味するとして使われることが多いが、元来は、国家による芸術援助を意味する言葉として使用されたのである。

「フィランソロピー」（Philanthropy／英）とは、語源的には、ギリシャ語の「フィロ」（Philo／愛する）と「アントロポス」（Anthropos／人間）の合成語である。即ち「人間」「人類を愛する」を意味する。

厳密に定義すると、弱者の救済、学術の振興、文化、芸術の支援など公益性の高い分野での寄付活動やボランテイア活動を総称する社会貢献活動を意味する。

今日、日本国内では、メセナという言葉が流行するにともない、両用語の明確な境界が曖昧にされたまま使用されているきらいがある。ここでは、企業の全般的社会貢献活動については、「フィランソロピー」を、また、企業の文化・芸術支援活動については、「メセナ」を使用することにしたい。

（2）なぜフランス語の「Mécénat」を採用したのか?

1988年秋、京都で開催されたフランス文化省と朝日新聞社共催の日仏文化サミットに参加した日本の文化事業に関心のある企業経営者が、国家主導型の文化政策をすすめるフランスに民間メセナを促進する企業の団体「アドミカル」が存在することを知り、これに強い関心を持った経営者が同じような組織を作ろうと考え結成したのが企業メセナ協議会であった（1990年2月結成）。

芸術文化支援を意味する西洋語のスポンサーシップ、パトロネイジ、メセナといった言葉に対応する伝統的日本語が見当らなかったため、耳慣れないメセナというフランス語をあえて採用することになったというのが実情のようである。この言葉に、「芸術文化を利用するのではなく、それに奉仕する」という新しい芸術文化支援の理念を盛り込んで命名されたのである。

このようにして1990年2月設立された「社団法人企業メセナ協議会[※1]」は、企業メセナ（企業の芸術文化支援）の活性化をめざす、わが国最初の企業連合体（社団法人）として啓蒙情宣活動を行なっている。その活動につれて「メセナ」という言葉も定着し一般化してきたのである。

※1　社団法人企業メセナ協議会……正会員169社、準会員41団体（1994年7月現在）

(3) わが国の芸術文化振興政策について

芸術文化振興政策を、積極的に推進している諸外国の政策は、(1)「民活型」と(2)国家「主導型」のタイプに類別出来る。即ち、米国に代表される「民活型」と欧州諸国に代表される、「国家主導型」である。わが国の場合は、どのタイプになるのだろうか。文化行政を担当する文化庁の年間予算から考えて見よう。

文化庁の所属省は、文部省であり、文部省予算から文化庁予算は、配分決定される。

1993年度の文部省予算は、一般会計総額5兆4264億7200万円であり、文化庁予算の占める割合は0・99%(538億9700万円)である。これは、国家予算比率でいえば、0・07%にすぎない。文化庁年間予算総額538億9700万円の内、408億2300万円(75・7%)は、文化財の修復、保存費用に当てられるから、残りの130億7400万円(24・3%)が、現代の芸術・文化創造費用という事になる。経済大国日本の文化予算が、130億7400万円というのはなんともお寒い文化行政といわざるを得ない。

1990年、政府は、芸術文化振興基金を創設した。内訳は、国家が500億円、民間から100億円が出資された基金を母胎にしたものである。したがって、わが国の文化予算総額は、芸術文化振興基金＋文化庁予算＝730億7400万円ということになる。米国の場合、個人、企業あわせて1兆6000億円であることを考えると、日本の芸術文化振興政策を国家主導型とは言えないであろう。それでは、民活型かと言うと、民活型の大前提である芸術文化優遇税の措置が、日本には欠如している。

米国では、個人、企業を問わず、民間の芸術支援に対し所得の10％免税が認められている（日本の場合は、法人に限られる）。また、民間支援を受ける芸術団体も申請すれば容易にNPO（非営利団体）の認定を受けられ、こうした認定団体に対する個人、企業の寄付は、自動的に免税が適用される。こうした優遇措置が日本には確立されていない。

ここにわが国の芸術文化政策が「あいまいな日本型」とよばれるゆえんがある。このような状況を改善するための一つの方法として次のような2点が考えられる。

《1》芸術文化の振興は、自国の国民大衆の利益であるという国民的コンセンサスの積極的形成をすすめる。

《2》1993年に新設された「地方拠点都市文化推進企業」の内実化と啓蒙情を推進すること。

右記の《1》《2》は、ともに深く関連性を有している。特に、《2》に関していえば、地方拠点都市法に基づいて、地方自治体が自発的に推進する特色ある文化芸術事業に文化庁が継続的に支援、助成する仕組みであり、具体的には、文化庁と地方自治体が共同で、人材の育成、地域間の交流、教養文化活動などに取り組み、最長5年間継続することになっているものである。しかし、主役は、あくまでも地方自治体である。予算の面から見ても、全国の地方自治体の文化関係予算は、文化庁のそれを大きく上回り、拡大を続けている。全国の地方自治体の文化関係予算は、文化庁の予算総額の10倍に達しているのが実情である。それ故、地方住民の文化、芸術に対する意識及び関心度が、予算をどのように使うかの重要な鍵を有することになる。このように各地方自治体におけ

表1

資本金	実施比率
1億円未満	100%
1億円～10億円未満	68%
10億円～100億円未満	50%
500億円～1000億円未満	96.3%
1000億円以上	98%

1994年白書

る、地域住民の文化指数向上の取り組みは、やがて全国民大衆の文化芸術に対する関心度を高めることになり、《1》の実現にもつながるであろう。

(4) 構造不況と企業メセナについて

一般的に言われているように、不況下にあって企業メセナは減退の兆候にあるのだろうか。この問いに答えることは容易ではない。回答への接近の一方法として、ここに1994年度メセナ白書を参考に不況によるメセナ実施企業数の増減を調べてみよう。

A 従来通り実施している企業数……252社
（回答376社の内67・0％）※93年白書では、250社であった。

B 資本金別に見た実施企業の比率（表1）

右記のA、Bから次のことが窺えるのである。

①不況下の中でメセナ事業を実施している企業は、資本金の多い企業と、逆に、資本金の少ない企業において高い実施率が見られること。

②企業による資金援助総額は、２０４億６９８３万円（１９９４年）である。これは、一社平均にすると１億７７４万円になる。１９９３年白書では、２３６億１２９７万円であった。前年比１５・１％のダウンである。これは、高額の資金援助を行なっている企業の「後退」によるもので、メセナ実施企業の多数派は必ずしもメセナ費を削減しているわけではないこと。とりわけ、経常利益マイナス企業の内４３・５％がメセナ活動を継続実施していることは、注目に値する。

③資金援助総額の減少にもかかわらず、資金援助の「件数」が増加している。これは、支援金額の不足を補うように、人物、場所、情報、ｅｔｃ、企業の所有する経営資源を活用するようになったことによるものであろう。

(5) ポスト・バブル時代のメセナについて

今後の、低成長時代に対応していくためには、資金援助額が限定された中で、いかにその「本質」を形骸化させることなく、維持、継続していくかが今後の重要な課題となる。この課題に答えるための方策の一つとして次のようなことがあげられる。

《1》最近、メセナの内容が、バブル時代の金銭的援助中心主義から、人、物、場所施設ｅｔｃ、人的、物的経営資源の援助、支援に変わってきていることは、ポスト・バブル時代の企業メセナの一つの方向性を示唆するものといえるのではないか。

メセナは、「経営に余裕のある企業がするもの」という一般的見方が強く潜在している中で、メセナ事業を続けている企業の実施理由を見てみると次の通りである

a.「社会貢献の一環として」
b.「自社のイメージ向上のため」
c.「企業文化の確立のため」
d.「芸術家の支援」

以上の4点は過去4年間の調査で上位にランクされ続けているものである。
a、dは、企業の枠を越えたメセナ活動本来の目的である。これらが上位にランクされ続けていることは、企業内で、メセナ活動本来の目的が、より明確に定着しつつある兆候と見なすことができるのではないか。b、cについては、バブル経済時代の「物の豊かさ」崇拝から覚め、「心の豊かさ」を人々が求め始めた社会風潮の影響もあってか、企業の業績向上とメセナは、今や表裏一体であるとの認識が、企業内で深まりつつあることの証左であろう。

《2》企業メセナ協議会は、1994年度から、特定公益増進法人の認可を受けた。このことは、特定公益増進法人への寄付の枠内で、メセナ活動の継続維持することが可能になったということである。不況下の企業メセナ活動にとって、明るい材料である。

以上、メセナに関する一般的概念及び日本のメセナ企業活動の概略について述べてきた。

次に、筆者が関わった、四国徳島県における一企業の事例を紹介したい。

B ― ハレルヤ製菓株式会社　文化事業活動の歩み

（1）会社概要（1995年現在）

会社所在地　徳島県板野郡松茂町広島字北川向四ノ越
創　　業　1930年
創業者　岡　武男（現会長）
資本金　7200万円
従業員　100名
文化事業予算　1300万円（支出に占める割合1・8％）
※年度計画事業の内容により変動あり。この額は平均値。

(2) 文化事業概要

ハレルヤ製菓株式会社における文化事業活動の正式な起源は、1966年に遡ることができる。

〈a〉起源　1966年「ハレルヤ文化講演会」の開始、1981年「青少年文化育成会」の結成

1966年(昭和41年)、文化講演会開催の心の事情について岡武男自身、次のように語っている。

「華美という言葉が当てはまりそうに豊かな時代を迎えてはいたが、島国四国では、中央からやはり遠い存在であり、有名な文化人とは隔絶された暮らしであった。(中略)徳島には、珍しい有名な講師先生をお招きして講演会を開き、文化の香りに接していただくことが喜んで頂けるのではないか。(中略)自己

を蓄えるだけでなく、青年の日々に受けた教えと報恩と感謝を世の中にお返ししたい」(「市民文化と文化行政」シリーズ自治を創る/森哲編著/学陽書房)

謝恩の精神から始められたことが窺える。実施に当り、次の2点を遵守することを自らに義務づけている。①政治に利用されない。②企業活動に関連づけた招待方式はとらず完全無料とする。

かくして、年一回の文化講演会は今日まで、一回も休むことなく継続されてきているのである。

また、1980年代(昭和55年以降)には、当時、社会問題化していた、非行、暴力問題の低齢化という社会風潮に心を痛めたことが契機となって、1981年(昭和56年)、「青少年文化育成会」の結成を実現させているのである。これは、県内の幼稚園児から高校生までの児童生徒によびかけ、絵画、習字の作品を公募し、優秀作品を印刷物として発刊するというものである。応募作品数、2万1400点余りの中から選ばれた優秀作品をまとめた冊子が「青い芽」という刊行物である。

そもそも、ハレルヤ製菓株式会社という決して大企業とはいえない一製菓会社が、このような文化事業を経営者の発案で全国的流行に先駆けて行なうことが出来たのはなぜなのだろうか？　１９８３年（昭和58年）に発刊された『岡武男自伝』によると、「ハレルヤ」という社名にも窺われるように、創業者岡武男は、神戸で奉公人生活をしていた青年時代、賀川豊彦[※2]の街頭布教活動に出会い大きな影響を受けたと語っている。この時キリスト教の奉仕精神に基づく実践活動体得の機会を得た岡は、後に、自らの奉仕活動の実戦をする事となったという。したがって、ハレルヤ製菓の場合、メセナというよりは、博愛精神、人間愛に基づく弱者救済、学術振興、文化芸術の支援など公益性の高い分野での寄付活動やボランテイア活動の精神から出発している。非営利団体への寄付、あるいは、非営利団体としてのボランテイア活動をアメリカでは、フィランソロピーとよぶが、こうした非営利団体を育成することを怠ってきた日本では、企業自身が直接なんらかの、企業ボランテイア活動を、行なわざるを得ない現状がある。ハレルヤ製菓の場合も、企業自身による自発的な非営利活動であり、文字通り、フィランソロピーの一例といえる。このような、ハレルヤ製菓のフィ

※２　賀川豊彦　１８８８～１９６０（明治21年～昭和35年）キリスト教社会運動家。神戸生まれ、米国、プリンストン大学卒。神戸貧民街の伝道を通じて社会問題の解決に関心をもった。愛を説く協調主義的立場から、農民運動、協同組合運動にも活躍した。国際的講演活動で、特に、アメリカでよく知られている。５歳の時、実母の死により実家、徳島に引きとられている。徳島中学校を卒業した後、神戸にわたっている。年譜によると、岡武男が出会ったという賀川の路伝道は、１９０９年９月～12月、賀川豊彦21歳の時であったと思われる。

ランソロピー活動の中から、1992年（平成4年）芸術文化の創造、普及に対する純粋な保護者、支援者、即ち、パトロネイジ（patoronage）の具体的活動組織体として「阿波之里アートフォーラム」は発足したのである。この組織は、「文化と健康の新空間」（新工場設立時のキャッチコピー）の名にふさわしい文化情報発信基地、総合芸術の普及と振興の拠点をめざすハレルヤ製菓株式会社のメセナ活動を企画、実行するための機関である。

〈b〉アートフォーラムの目標と具体策

（1）「阿波之里」を、生活居住空間としてだけではなく、文化空間、学習空間としての視点もふまえた、自然、建築、芸術、人の出会える「学びの場」して位置づける。

（2）作品、商品の陳列展示の場としてだけでなく、創造のプロセスを自らの参加を通して体感してもらうことも重要な要素としてプログラム化する。

このような目標を設定したのは、ハードとしての建築を生かすソフトとしての一面を担うアートフォーラムの課題である「私達自身の開かれた文化、芸術の形をいかに把握するのか、あるいは、把握しなおすのか」というテーゼに接近するための一つの架橋であると考えたからに他ならない。具体的方策としては、〈a〉作品展示〈b〉出品作家によるワークショップの実施が考えられた。

目標の（1）自然、建築、芸術、人の四者の共生について第一回出品作家のヘルベルト・サックス氏の、興味深い述懐がある（300年前の伊香型民家に絶対適合しないと思っていた非具象の現代油彩画をかけた時の印象）。

1、壁の色どりと絵の色彩、壁の質と絵のマチエールは、よく調和し落ち着く。

2、民家の天井の下の空間が絵の響きにより暖かく感じられる。

3、建物と絵は、一つの統一した「場」の雰囲気を醸し出している。

4、制作した当時の心的情景を思い起こすことができた。

目標の（2）については、第二回出品、染色作家、斉藤洋氏の野染めワーク

ショップに参加した藤野千江氏が

「（……）十数人のグループごとに一張りを染めることになった。大人も子供も全身を使って刷毛を動かし、時に、木の葉や手を刷毛代わりにし、色を重ね、重ねられて染めあげられていく（中略）。形を創りあげていく不思議さ、初めてチャレンジした染めの世界（中略）再び巡り合える染めあがった布との対面が新しい感動をもたらしてくれることを期待している」と投稿している。（徳島新聞掲載記事より）

ここに紹介した二つの事例に、作家、鑑賞者を問わず、従来の受動的鑑賞型の姿勢を脱し、積極的参加型の芸術のあり方を模索しようとするアートフォーラムの新しい息吹を感じることができるであろう。

第一回、第二回の企画展示の内容、及び参加者の反応を見れば、なんの困難もなく容易にスタートしたかに見えるが、準備の段階から、多くの人々の目には見えない努力と苦労の軌跡があったのである。

次にアートフォーラムの歩みを時間を追って概観しておきたい。

表2　アートフォーラム企画展の歩み

	展覧会名	開催期間	ジャンル	在地
1	ヘルベルト・サックス絵画展	1992.7/7〜8/23	水墨画	スイス
2	斎藤洋　染色展	1992. 9/2〜10/11	染色	京都
3	伊部京子　和紙ワークス	1992.10/20〜11/29	和紙造形	京都
4	小森文雄　絵画展	1992.12/8〜1/10	水墨画	京都
5	豊田豊　彫刻・絵画展	1993.2/7〜3/21	彫刻、絵画	ブラジル
6	カレン・ヤング作品展	1993.4/11〜5/23	水墨画	アメリカ
7	山岸直子　絵画、彫刻、音楽展	1993.6/6〜7/18	絵画、音楽	東京
8	ジャシュア・ローム　木版画	1993.6/1〜9/12	木版画	アメリカ
9	東野健一　絵画・紙芝居展 尺八、三味線、太鼓、阿波踊り	1993.9/14〜10/31	絵画、紙芝居、尺八、 三味線、太鼓、阿波踊り	神戸
10	渡辺恭成　金属造形写真展	1993.11/1〜12/12	金属造形	群馬
11	後藤千賀展	1994.1/2〜2/20	パッチワークキルト	東京
12	領家裕隆　造形絵画展	1994.4/1〜5/12	造形絵画	神戸
13	関直美　木と鉄の造形展	1994.5/14〜6/30	彫刻	神奈川
14	斎藤真成　絵画展	1994.7/1〜8/10	絵画	京都
15	フェルナンド・モンテス展	1994.9/11〜10/31	テンペラ画	イギリス
16	山上学　土と造形展　ロック音楽	1994.11/3〜12/25	土と造形	栃木
17	佐野比呂志　油彩展	1995.1/11〜2/11	油彩画	徳島
18	矢柳剛　作品展	1995.4/15〜5/14	リトグラフ、版画	東京
19	河崎良行　彫刻展	1995.5/21〜6/25	彫刻展	徳島
20	米津光　写真展	1995.7/1〜7/30	写真展	徳島
21	ジョン・カーナー　絵画展	1995.10/1〜10/30	油彩、アクリル画	カナダ
22	栗本夏樹　漆芸展	1995.11/1〜11/30	漆芸展	京都
23	松谷武判　レリーフ、絵画	1995.12/1〜12/30	鉛筆、アクリル造形	フランス

表3　アートフォーラムの歩みと各期の特徴

時期区分名	時期	展覧会序数
[A] 準備、模索期	1992. 7～1992. 11	1～3
[B] 第Ⅰ期	1992. 12～1993. 11	4～10
[C] 第Ⅱ期	1994. 1～1994. 12	11～16
[D] 第Ⅲ期	1995. 1～1995. 12	17～23

〈C〉アートフォーラムの歩みと各期の特徴

《A》準備、模索期

阿波之里新工場施設の設計建築を担当したアトリエＲＹＯ主宰者木下龍一、造園作家マーク・ピーター・キーンの呼びかけに紙造形作家伊部京子、油彩作家ヘルベルト・サックス、石田淨の5名が集まった。地域社会に開かれた文化、芸術施設として、阿波之里「夢回廊」を中心とした「場所」「空間」の継続的利用活動について、種々の議論がされた。急ピッチで進行していた京都の無計画的開発についての杞憂、芸術一般、建築と芸術、ｅｔｃ、話題は、多岐にわたるものであったと記憶している。この期は、「阿波之里」の造園設計を担当した、マーク・ピーター・キーンを中心にアートフォーラムに関わる事務が執行されていた。企画作家については、ヘルベルト・サックス、斎藤洋、伊部京子、小森文雄まで、事務局設立準備委員のメンバーの人的関係からの自薦、他薦紹介により決定されていた。企画作家展において、重要な意味を持つといわれるパンフレットデザインの担当者には地元の若い新進デザイナー板東高明が就き、制作業務も板東デザイン事務所に依頼することとなった。徳島「阿波之里」の建築設計に関わった木下龍一の建築造形に対する「おもい」の一端を、私は、強く感じた。それは、建造物のみならず、「時間」「場所」「空気」を共有する人々によって、醸し出される「ぬくもり」に執着する彼の造形観であった。建物もまた、「生き物」と考えているからこそ「木」を慈しみ、愛でる。さらに、「木」が吸い込み続けていく「歴史」をもかけがえのないものと考える「しごと」、「人生」、関わる「人」の問題もその延長線上にある事が、理解出来た。建築設計家としての木下の「思想」が、アートフォーラムがこれから先、地元徳島の地域の人々といかなる接点を切り結ぶことが好ましいのか、あるいは、好ましくない形とは何か、を視野に入れて活動していくことの重要性を示唆したと思う。1992年7月8日、アートフォーラム構想に関心を持った地元の若い世代の人十数名が「阿波之里」に木下の呼びかけで集まった。ハレルヤ製菓株式会社会長、専務も同席。席上、第一回企画ヘルベルト・サックス展の作家紹介文を書いた石田から、次のような主旨の報告がなされた。

《……芸術文化の創造や、その享受の機会は、(a)創造者としての作家、(b)啓発された民業、(c)資金提供をする企業・個人の三者をコーディネイトして「文化の光を輝かせる空間を演出する者」が存在して初めて成立するものであり、この任務を担い、究極的には「仕事を起こし、地域を起こし、人を育て、文化を高めるための企画、運営の案」を、フィランソロピー活動を行なうハレルヤ製菓文化事業部に提案する機関として事務局が必要、かつ不可欠である。》

こうした準備期における、木下龍一、マーク・ピーター・キーン、ヘルベルト・サックスの、ハードとしての建築と、ソフトとしての文化、芸術の有機的統合、という視点からのアートフォーラム設立への努力が、社会貢献活動実績のあるハレルヤ製菓と芸術を結びつけ、メセナ事業としての企業決定を実現させたといえる。１９９２年11月29日、アートフォーラム美術コンサルタントとして石田が就任することとなった。

《B》第Ⅰ期　1992年12月8日〜1993年12月12日　第4回〜第10回

選考については、準備期の段階からリストアップされていながら、実施決定が先延ばしになっていた作家を中心に決定していった。完全な形での公開選考会議方式はとれなかったが、年間6作家40日型の企画原案が決まる。しかし、この段階では、選考に頭を悩ますほど、応募資料が集まっていなかった。93年頃から、自薦、他薦作家の資料が送付され出してきたのである。また、事前予告資料を準備することにより、地元の人達により一層の関心をもってもらおうと考え、年間パンフレットを制作したのは、第5回豊田豊展(彫刻)からであった。

企業メセナ活動として始められたアートフォーラムが、全国化、広域化していくのが感じられた。徳島県立近代美術館館長、麻布美術工芸学館学芸課長の作家紹介文の寄稿、第9回東野健一展(絵画、紙芝居)では、龍神太鼓、三味線、尺八、阿波踊りとのジョイントとなり、高松、愛媛、徳島、神戸という地域から、作家、参加者が集まった。来徳していた、フランス・ロワイアン市の市役所関係者も飛び入り参加して、「石の広場」は夜遅くまで阿波踊りが繰り広げられたのである。参加者の多くが、芸術を通じて、これまでとは違った、心の交流を体感したと感じた。

この際の後半93年12月11日、地元徳島の若手作家12名による初会合がもたれた。そもそもの発端は、地元の若い世代に対して、開かれたアートフォーラムの形態を模索していく中で、発案されたものである。作品発表の「場」の提供を通じて若い作家の創造意欲を支え、かつその創作活動を後援する事により、新しい息吹の芸術の発信、「阿波之里」と次世代の架橋を期待したのである。参加作家の作品ジャンル、所属、資格を問わず、規則もなければ、義務もないといった、文字通り開かれた集まりであった。数回の会合がもたれ、会の名称「アーチスト・バジャー」が決定。翌年94年2月27日～3月20日の期間、第一回バジャー展が開催される事となったのである。

この間、事務局通信、会員名簿事務局業務の分担交替制の体制が作られた。企業からは、パンフレット制作費用、及び、会場無料提供がメセナとして保証された。

この形態は、今日まで継続され現在、第5回展を迎えている。地元作家への呼びかけ、事務局結成運営、会員の取りまとめに関して、地元作家の一人である、一人の第一回事務局員の果たした役割は、実に大きいものがあった。こうした、若い地元作家の協力がなければ、アートフォーラムも、もっと地元定着化作業に難したと思われる。

こうしたアートフォーラムの基盤造りの活動時期ともいえる第1期をなんとかやり終えようとしていた93年10月30日、突然94年以降のアートフォーラムの企画展活動を中止して欲しいとの通告があった。表向きの理由は、経済的事情によるものであった。しかし既に、この時点で、翌年度の企画予定作家との契約交渉も一部進行していた事もあり、多大の迷惑を作家にかけることになるとの理由から、結局、中止は、見送りとなり、1994年度の企画展は、続行することとなった。この時の会社の通告は、私達に、アートフォーラムと会社との関係について再考の機会を与える事になった。その結果得た、反省の一つは、「企業内文化の確立」という企業メセナにとって最も大切な視点に対する取り組みの弱さについてであった。即ち、メセナ事業を行なっている企業本体の、社員及び関係者に向けて、参加、啓蒙活動を、十分に行なってこなかった事に対する反省であった。企業の外に向けての発信と同量のエネルギーを、企業の内に向けてもそそぐ事が不可欠であるということである。

《C》第Ⅱ期　1994年1月2日～1994年12月25日　第11回～第16回展

この時期になると、全国地域から、作家資料、ギャラリー資料、展覧会資料が色々なコネクションを通じて集まってくるという状況があらわれ出した。それだけ「阿波之里アートフォーラムの活動情報が、関心ある全国の人々に伝えられているということの証左でもあった。このような状況に対応するため、年間6作家の割り振りについて、外国人作家、県内作家、県外作家、各2名ずつの企画展を原則とする事で、地域公平化を図る事としたのである。しかし、第1期の終了時に出てきた会社の変化に制約される気持ちも働き、経済削減の自主的規制が、これ以降、無言の圧力となった事は否定できない。既に、第1期終了時迄に、資料審査、内諾の手続きを、進行していた作家を優先的に決定せざるを得なかったが、結果的には、外国人作家枠を一名に減じる事となった。

会社のメセナ事業予算は、アートフォーラムの活動の「質」を落とすことなく、継続を計る克服努力を私達に迫るものであった。その結果、①作品買い上げ価格の上限を30万円迄とする（それまでは企画展ごとに、上限を設けず作品一点買い上げを原則としていたのである）、②作家別の個人パンフレット作成廃止、年間企画展案内パンフレットのみとする、といった改善策をとることとしたのである。

「必要は発明の母」と言うべきか。こうした内部での努力をする一方で、県外他地域の関連機関に対する積極的働きかけを行なったのもこの時期であった。その努力が、第14回斎藤真展に際し、山形県美術館との図録共同作成の実現、第15回フェルナンドモンテス展に際しての、東京（プロモアルテ、イトヤマ、悠玄）京都（華）、神戸（海文堂）の5ギャラリーの図録作成協賛、巡回展の企画実施の実現をもたらしたと言える。

芸術業界特有の閉鎖性の打破、企業メセナ事業への連動支援の可能性、芸術、文化活動企画の協同開催の可能性、等が確認できた事が、この期の大きな特徴であり収穫でもあった。企画展外ではあったが、地元徳島の若手作家達、アーチスト・バジャーの、第2回展（8月11日～8月30日）は、恰美術館長の紹介挨拶文掲載を縁に、その後、バジャーの会員達に、恰美術館での特別展への道を開く事になった。アートフォーラムから外に向けての発信が、現実化されていく手ごたえを感じさせられたできごとの一つでもあった。企業側担当者として中心的に関わった、専務取締役・岡多美子をはじめ、当初より実務作業に携わってきた営業部長・尾崎祥による、アートフォーラムの活動を媒介にした企業と国外、県内、県外の人的、物的交流の広がりによる文化的、経済的効果についての企業内啓蒙努力が、有形無形の形で顕在化しはじめた。社長、経理課長らのワークショップ参加もこの期の事であった。

《D》第Ⅲ期　1995年1月11日～1995年12月30日　第17回～第23回展

企画作家選考会議により選出された作家は、7名となった。これは、応募作家、推薦作家資料が多数にのぼり、その上、いずれも優劣つけがたい作品資料がそろっていた為である。第2期展の県内出身作家が、後藤千賀の一名であった事もあり、第3期の地元徳島出身作家は、3名となった。

これまでの企画作家展に加えて、特別展として、（1）第79回徳島県女流美術家協会小品展、（2）日伯修好100周年記念事業「ブラジル現代日系作家展」、（3）アーチスト・バジャー展、（4）阿波之里「薪能」鑑賞会が計画され、実に阿波之里はイヴェント・ラッシュの様相を呈した。この特別展の中でも、特に（2）、（3）の試みは、新しい成果を私達に与えてくれた。（2）については、地元の徳島県美術家協会の働きで、「地方自治体文化芸術振興基金」の助成を受けることができた。おりしも徳島県女流美術協会創立45周年記念第80回展、仙台、徳島文化交流女流美術第24回の年にあたっていたこともあり、ブラジル女性作家の作品を、ジョイント徳島県郷土文化会館では、女性作家のみの作品を、阿波之里会場では、ブラジル日系男性作家の作品のみを展示する、文字通り「官民一体」の記念とすることができたのであった。

（3）については、計画当初、財政困難が予想された。アートフォーラムの企画展以外に関する予算執行は一切無理であるとの通告を、第3期の冒頭に会社から受けていたからである。実施するのであれば、別途、資金の調達が必要であった。能舞台の設営費、演能者の招聘費用、機材費用等、初めての経験だけに、不安材料は、一つ、二つではなかった。しかしここで出された木下龍一、岡多美子の実行提案は、阿波之里実行委員会を結成し、実行委員を中心とした、入場券販売活動により、財政確保を実現しようというものであった。

この提案に基づき、地元の能楽愛好者、会社関係者、バジャー会員、会社担当役員等の、ボランティア活動による入場券販売収入により、なんとか自主公演が実現したものである。阿波之里の庭園に設けられた特設舞台で繰り広げられた「玄の世界」は、一回公演では余りにもぜいたくにすぎると思われるほど素晴らしいものであった。当日、会場でのアンケートに寄せられた、開催を望む多くの声も、十分に納得できるものであった。こうした、実行委員会結成方式で、実現、成功を収めることができた事は、地元企業としての利点が大きかったとはいえ、メセナ活動の将来に向けて、大きな教訓と、勇気を与えてくれた。メセナ事業が、単に、資金の援助だけを意味するのではなく、施設、人、場所の提供という形態をとって多くの事ができるという一つの好事例を教えてくれたのである。

4期に分けて各時期を概観してきた。振りかえってみて、実に多くの人々が、関わりをもった。

各作家展ごとに、開かれた出品作家による個性豊かなワークショップは、アートフォーラムの最大のよびものとなって定着した。各ワークショップ平均参加者数は35人、延べ人数は800名を超えた。参加費用3500円の有料制であること、ほとんどが休日開催であったことなどを考慮するなら、この人数は、驚異的であるといえるだろう。さらに、オープニングパーティ参加者数をも加えるなら、この数は、1500名を優に超えている。このように多くの人々に、様々な体験と、教訓と、可能性を与えた阿波之里アートフォーラムも、課題と反省がないわけではない。

次への、さらなる飛翔のために、自己課題をあげておきたい。

（3）阿波之里アートフォーラムの反省と課題

（1）すでに見たように、メセナ事業企業に対するアンケート調査結果では、

（a）自社のイメージ向上のため　67・5％

（b）自社の企業文化の確立をめざすため　31・2％

以上が2位と3位にランクされているにもかかわらず、アートフォーラムの活動を通じて、企業内に対する研修、情宣の働きかけが欠落していたのではないか。外部に向けてと、内部に向けての同時的の働きかけがなければ、メセナ活動がめざす本来の目標は実現できないだろう。言葉を換えていえば、企業成員の意識変革なしに、既存の企業体質からの脱皮は、困難であると思われる。

（2）企業は、健全で活力ある社会があってこそ、最大の利潤追求ができる

のである。だとするなら、健全で活力ある社会をつくる為に、企業が社会貢献活動や、メセナ事業に、力を投入することは、決して企業の利潤追求の論理と矛盾するものではないし、その様な企業の行ないは巡り巡って、かならず、その企業を含む、社会全体の利益につながることとなるのである。このような利益を、企業にとっての「見識ある自己利益」(enlightenedself-interest) と呼び、これを求める事が企業フィランソロピーの本質であるといわれる。こうした原則に関わる認識の肉体化作業を、経営者、社員、アートフォーラム事務局の共同作業化出来なかった。

(3) 企業内関係者への参加呼びかけ、及び、参加可能な条件設定の配慮の視点が欠落していた。社員の人達にも、一人でも多く参加して欲しいと願いながら、条件整備の配慮が出来ていなかったために、結果的には、全回数を通じて、延べ数にしても5、6名という誠に申し訳のない数にとどまった。とても共有意識をもてるようなものではなかったといわざるを得ない。

（4）外に向けては、あれだけ多くの人々の参加がありながら、参加者の共通意識や、興味を具体的な形に組織化することが出来なかった。例えば、「友の会」結成、ニュースの発刊、企業と参加者のシンポジューム、etc。

以上のように、反省は私一人でも、これで足りないくらいある。共同で反省総括をするならば、さらに紙数を増やす事になることはまちがいない。

今は、アートフォーラム事務局代表としての3年間の個人的総括にとどめておきたい。

「善き人々の集まるところ、良き文化、芸術生まれ育ち、良き文化、芸術生まれ育つ社会における、企業の見識ある自己利益追求活動は、未来社会に夢を与える」

この3年間、「企業」という「不思議の国」を旅した「アリス」の一実感である。

１９９６年５月了

※草稿の一部は、１９９５年11月26日、徳島県立近代美術館主催の美術館講座において、既に、講演発表したものである。

※文中使用の人名については、全て敬称を略したことをお断りする。

おわりに

ようやく小休止地点にたどり着いたという思いである。

本書冒頭に記したように、執筆に躊躇している時、政治学者姜尚中の「人生の目標は、人生の最後の一秒まで、自分の生まれてきた意味を見つけ出すことではないか」という言葉に出会った。これに触発されて書き始めたのだが、いったいどれほどの時間が経過しただろうか。自分を解体し、総括するということがこれほど大変であるとは、想像をはるかに超えていた。しかも、まだ終わったわけではない。往生際の悪い「きれず」癖が、またまた頭をもたげ始めているのだ。

傘寿を超えてなお、現役に固執し続ける日々の中で学んだことは、「人間と社会の関係性について」であった。政治活動・研究活動・芸術活動のフィールドワークで鍛えられた半生であったといえる。多情多感で好奇心の旺盛な人間の、典型的な生涯のようにみえるが、自身が冷静に振り返ってみて、「漂えども沈まず」の訓えどおり、底流に流れている一貫性は堅持してきたのではないかと感じている。

一貫している共通項とは、つまるところ、自己懐疑心と自己顕示欲の狭間での振幅人生だったのではないか。そして、いまなお、その振幅の渦中にいる。

これまでの時間・空間を振幅する生涯のなかで、五十代になって「藝術」という世界に出会ったことが、私の人生における決定的な道標となった。このことを少しでも伝えることができていたならこれに勝る喜びはない。藝術とは対象の表現と重なり合った自己表現であり、自分と対象《もの》との照らしあいである。その意味する自己顕示活動の総体が藝術であると知ったことは、自己革命にも等しい出来事であった。言葉を換えて言えば、身体行為を通して自己を認識すること、すなわち身をもって知ること、そうすることにより、自己を高めることができるのであるという「なんでもないこと」に帰結する。

よく言われるように、造りつつモノを見極め、見極めつつ物《もの》を創ることこそ藝術の本質であり、先入観なく自分の眼で事物を確かめ、確かめた事物を鑑賞しながら「間《あわい》」概念にて思考できることが、「人新世」時代を生きる人間としての最低条件であるということなのである。

東洋哲学の創始者といわれる西田幾多郎は「物来《ものきた》って、我照らす」と説いている。

私の言葉で言い換えれば、「もの」と「自分」とを同時に把握することが「藝・際・間」の認識に接近する原点であると結論づけているように思えるが、これは牽強付会に過ぎるであろうか。

思い返せば、「具体」グループ作家のひとり、堀尾貞治が一貫して追究したテーマ「あたりまえのこと」とは結局「なんでもないこと」であり、人生のあれもこれもすべてが「なんでもないこと」されど「なんでもあること」の二位一体の認知・認識こそが重要であるとのメッセージであったと、今にして気づかされている。

西田哲学にも通底するこの理《ことわり》を、私は「藝《げい》」・「際《きわ》」・「間《あわい》」の概念用語を用いて、別視角から藝術と社会と自分の関係性を非力ながら考えてきたのだと述懐している。さいごに、超ベストセラー『人新世の「資本論」』（集英社新書）でその名を馳せた新進気鋭の若き経済哲学者斎藤幸平が『ゼロからの「資本論」』で述べている言葉を引用してひとまずはこの拙著を閉めようと思う。

「（……）みなが当たり前だと思っていることを疑い、別の道を考え、行動するというのは本当に難しい。それでも、まずは誰かが問題提起をする必要があります。本書は（……）ひとつの問題提起です。」

（了）

謝辞：
戦後八十年を時代とともに生きてきたなんでもない市井の人間が、とにもかくにも拙著を上梓できたのは、支えてくれた星の数ほど多くの人のお陰によります。
とりわけ、私のこれまでの活動を支え続けてくれた、「阿波之里」時代の木下龍一、ヘルベルト・サックス、ＪＡＲＦＯ法人設立時代を支えた初代アートディレクターの小山有子、展示・学芸活動の振興に尽力してくれたマリオ・フランチェスコ・マンフレディーニ、次期ＪＡＲＦＯ理事長の片山文雄、二代目アートディレクター・法人監事の松原知子、アートマネジャー西山直樹、そして最後になりましたがこの難解な編集出版を引き受けてくれたエディション・エフ代表岡本千津の諸氏に、心よりの深謝を表します。

参考文献（石田淨の自編著を除く）

「朝日新聞」2023年1月4日号

塩田庄兵衛編『幸徳秋水の日記と書簡』（未來社／1954年／増補1970年）

飛鳥井雅道『明治社会主義の帰結』（「思想」岩波書店／1968年第2号）

岡武男『関：わが通る路はありけり　岡武男自伝』（ハレルヤ製菓／1983年）

森啓編著『市民文化と文化行政　―シリーズ自治を創る―』（学陽書房／1988年）

マルクス・ガブリエル『アートの力　美的実在論』（大池惣太郎、柿並良佑訳／堀之内出版／2023年）

白川静『字統』（平凡社／1984年／普及版1994年／新訂2004年／普及版新訂2007年）

白川静『字訓』（平凡社／1987年／新訂2005年／新訂普及版2007年）

白川静『字通』（平凡社／1996年／普及版2014年）

小山正太郎「書は美術ならず」（「東洋學藝雑誌」／第八～一〇／1882年）

岡倉天心「『書は美術ならず』の論を読む」（「東洋學藝雑誌」／第一一・一二・一五／1882年）

川畑秀明『脳は美をどう感じるか　―アートの脳科学―』（ちくま新書／2012年）

川田都樹子・西欣也編『アートセラピー再考─芸術学と臨床の現場から』（平凡社／２０１３年）
エリック・R・カンデル『なぜ脳はアートがわかるのか　─現代美術史から学ぶ脳科学入門─』（高橋洋訳／青土社／２０１９年）
エリック・R・カンデル『芸術・無意識・脳　精神の深淵へ：世紀末ウィーンから現代まで』（須田年生、須田ゆり訳／九夏社／２０１７年）
福岡伸一『芸術と科学のあいだ』（木楽舎／２０１５年）
斎藤幸平『マルクス解体　プロメテウスの夢とその先』（講談社／２０２３年）
斎藤幸平『人新世の「資本論」』（集英社新／２０２０年）
斎藤幸平『ゼロからの「資本論」』（ＮＨＫ出版／２０２３年）
柄谷行人『力と交換様式』（岩波書店／２０２２年）
柄谷行人『ニュー・アソシエイショニスト宣言』（作品社／２０２１年）
柄谷行人『世界史の構造』（岩波現代文庫／２０２３年）

石田浄　著作一覧

【編著書】

『時・空・流　1　1966〜1967』阿波乃里アートフォーラム編　京都新聞社（1993）

『時・空・流　2　1968〜1969』阿波乃里アートフォーラム編　京都新聞社（1993）

【論文・批評】

『やぶにらみ「大逆事件」』立命館学園新聞（1966）

『I・W・W史〜世界産業労働者同盟労働史の一考察〜』立命評論（1966）

『人格開発不在の教育』新潟日報（朝刊）（1966）

『日本「無政府主義」論考　〜大杉栄の思想を中心として〜』立命評論（1968）

『書評「現代アナーキズムの論理」（ダニエル・ゲラン著）』立命館学園新聞（1969）

『直接行動論の源流〜幸徳秋水とI・W・W〜』「構造」経済構造社（1970年3月号）

『青い鳥は君が創れ　〜ある登校拒否生徒の記録〜』「高二コース」学習研究社（1977）

『ハイスクール・レーダー　〜スイスの高校教育報告〜』「高二コース」学習研究社（1978）

『ヘルベルト・サックスの人と作品　〜水墨画の世界〜』便利堂大塚出版（1979）

【連　載】

『世界史「離れ」と教科書「離れ」の狭間』「歴史と地理」山川出版社（１９８３）

『アニマ絵（芸術論）～作品三位一体について～』便利堂大塚出版（１９８４）

「大人の美術散歩」月刊「ほんとうの時代」ＰＨＰ研究所（２０１０～２０１１）

（その他、批評、エッセイ掲載多数）

【放　送】

「きょうとこれからラジオ」（ＦＭ７９・７ＭＨｚ　京都三条ラジオカフェ／毎週木曜日放送）

第４木曜「アートＪＯ談」パーソナリティ就任（２０１４～２０２０、7年間81回）

【講　演】

「ヨーロッパで考えたこと」東山学術文化研究所主催（１９７４）

「ヨーロッパの学校制度」京都私学社会教育研究会（１９８０）

「信心と歓心～間（あわい）の心を通して～」知恩院主催第５８８回おてつぎ文化講座（２０１６）

「在日地球人として」韓国東国大学主催　東国大学日本学研究所創立40周年記念講演会（２０１９）

石田　浄　略歴

１９４２年　京都府舞鶴に生まれる
１９７３年　立命館大学大学院文学研究科修士課程修了（西洋史学専攻）
１９９３〜９６年　阿波之里アートフォーラム（徳島県）代表、企業メセナ活動に従事
１９９７年　ＪＡＰＡＮ ＡＲＴ ＦＯＲＵＭ（略称／ＪＡＲＦＯ）代表（現在に至る）
２０００年　特定非営利活動法人　京都藝際交流協会理事長（現在に至る）
２００２〜０３年　釜山ビエンナーレ国際交流基金特命レポーター（韓国・釜山）
２００３〜０４年　「現代韓日陶芸展」実行委員会日本事務局長（韓国・ソウル）
２００５年　「沈壽官家歴代展」実行委員会事務局長（国際交流基金主催）
２００７年　京都市芸術功労賞受賞（アートプロデュース部門からは初受賞）
日独芸術交流事業日本コミッショナー（現在に至る）
２００８〜１０年　「ブラジル日系画家１００年の歩み展」日本コミッショナー
２００８〜０９年　京都府文化力創造懇話会ワーキング会議委員
２００８〜１３年　赤煉瓦倶楽部舞鶴アートディレクター

２００９年　韓国ヘイリー芸術村　韓・日・中国際展日本コミッショナー（韓国・パジュ市）
　　　　　　ウルサン国際オンギ公募展審査委員長（韓国・ウルサン）
２０１０〜１８年　京都府アートフリーマーケット実行委員会実行委員長
２０１７〜２２年　京都王《ワン》藝際美術館副館長
１９６１〜２０１１年
　　　　　京都府立須知高等学校、私立京都洛南高等学校、私立東山高等学校、高槻市立富田小学校教員、
　　　　　米国フィリップス大学日本校、K・I・U大学芸術学部、米国フィリップス大学オクラホマ校、
　　　　　京都造形芸術大学の専任講師・教授職を歴任。
２０１１年
　　　　　教員職を完全に退職し、30年近く関わってきたＮＰＯ活動に専従、現在に至る。

【受　賞】
１９９６年　ブラジル日本文化協会（在サンパウロ市）感謝状
２００２年　国際日本文化研究センター感謝状
２００４年　滋賀県知事感謝状
２００６年　京都市芸術功労賞　受賞
２０１２年　中国人民対外友好協会栄誉賞
２０１６年　ドイツ・ロストック市名誉市民認定

【現役職】
特定非営利活動法人　京都藝際交流協会理事長
京都国際アーチストＢＡＮＫ実行委員長
ＪＡＲＦＯ京・文博（京都府文化博物館別館）代表
ＪＡＲＦＯ Ａｒｔ Ｓｑｕａｒｅ代表
ＪＡＰＡＮ ＡＲＴ ＦＯＲＵＭ（ＪＡＲＦＯ）代表

著者近影（撮影／蒼樹）

「藝《げい》」「際《きわ》」「間《あわい》」を究める
〜JARFO三十年の歩み〜

2024年6月20日　初版第一刷発行

著者　石田《いしだ》　浄《じょう》

装幀　ウーム総合企画事務所　岩永忠文
編集・発行人　岡本千津
発行所　エディション・エフ　https://editionf.jp
京都市中京区油小路通三条下ル148　〒604-8251
電話　075-754-8142
印刷・製本　株式会社シナノパブリッシングプレス

ISBN 978-4-909819-17-8　Printed in Japan

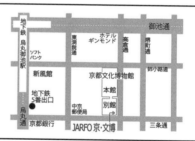

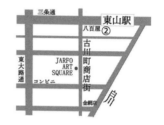